我是听着故事长大的。人人却是听着故事长大的。回想当时我们那些小学生,听故事是最大的乐事。

我希望小朋友多读书,多读好书,这对于大家练好本领大有帮助。

任溶溶

在"没头脑"和"不高兴"身上，
每个人都能读到自己

中国幽默儿童文学创作·任溶溶系列

没头脑和不高兴

任溶溶/著

浙江出版联合集团　　浙江少年儿童出版社·杭州

可爱的任溶溶爷爷

孙建江

如果不看介绍，你一定猜不出任溶溶爷爷的年龄。任爷爷是1923年出生的，算算，已九十高寿了。怎么样，没想到吧？任爷爷虽然年事已高，但身体健康，思路清晰，精神矍铄。最要紧的，他还是和原来一样风趣，和原来一样乐观，和原来一样哈哈哈大笑，和原来一样扯着大嗓门说话。呵呵，这样的老爷爷是不是很可爱？

注音版
没头脑和不高兴

I

任爷爷可是鼎鼎有名的大作家。他写的书很多很多,数都数不清。像大家熟悉的《没头脑和不高兴》、《一个天才杂技演员》、《爸爸的老师》、《我是一个可大可小的人》、《土土的故事》、《大大大和小小小历险记》、《丁丁探案》、《当心小妖精》……都是任爷爷写的。任爷爷还是一位大翻译家,懂四种外国语,翻译过《安徒生童话全集》、《木偶奇遇记》、《假话国历险记》、《长袜子皮皮》、《伊索寓言》、《彼得·潘》等等。任爷爷创作的作品获得过国际国内大大小小很多很多的奖。他创作的作品还选入了中小学课本,拍成了动画片。

任爷爷创作的作品,有的你们的

爷爷奶奶看过，有的你们的爸爸妈妈看过，有的你们现在正在看。这么说吧，任爷爷创作的作品读者成千上万，很多很多。他的书影响了几代读者的成长呢。

为什么任爷爷写的书那么受欢迎呢？

有小朋友说了，哈，这还用问，写得好看呗。

说得太对了。

任爷爷写的书的确很好看，亲切、自然、风趣、幽默，让人爱不释手，百读不厌，而且看完以后还促人思考、促人反省。这样的书，当然受欢迎了。

任爷爷说，他最开心的事就是和小

péng yǒu men zài yī qǐ   jiù shì wèi xiǎo péng yǒu men xiě zuò
朋友们在一起，就是为小朋友们写作。

nǐ xiǎng   zhè yàng de kě ài de lǎo yé ye   shéi bù
你想，这样的可爱的老爷爷，谁不

xǐ huan a
喜欢啊。

hǎo   wǒ bù duō shuō le   dà jiā kuài kàn kě ài de rén
好，我不多说了，大家快看可爱的任

yé ye xiě de shū ba
爷爷写的书吧。

没头脑和不高兴

我有个邻居，今年十二岁，叫做"没头脑"。

他名字叫没头脑，人可有头有脑。头还挺大的，眼耳口鼻，哪样不少。他读书也聪明，绝不可能没脑子。大家叫他没头脑，因为他记什么都打个折扣，缺点零头。

这孩子常上我家串门。玩了半天，走了。我把门刚给关上，嘭嘭

1

嘭，外面敲门了。我开门一看，原来是没头脑。"对不起，我书包给忘了。"他一边脱帽子手套，一边进屋子找书包。他找到书包，走了。我把门刚给关上，嘭嘭嘭，外面又敲门了。我开门一看，还是没头脑。"对不起，我帽子给忘了。"他进屋找到帽子，走了。我把门刚给关上，嘭嘭嘭，外面又敲门了。这回我把门打开，也不看是谁，就把一副手套塞出去："没头脑，你的，拿去！"我再进屋一看，那不是他的书包吗？多半他回来找帽子，又把书包给落下了。

他过十二岁生日那天，我捧了一大包东西上他家。没头脑打开一看：

"咳,叔叔,你怎么送我那么多东西呀?妈,你看,叔叔送我铅笔、本子——连名字都给我写上了——皮球、手套、手绢、《罗文应的故事》……叔叔,这顶帽子我可戴不下……"没头脑一面翻一面嚷,他妈妈就说了:"那你还不快谢谢。"我说:"不用谢了,都是他自己的。"他妈妈听了不由得直叹气,冲着他说:"瞧你这个没头脑,大起来可怎么做大事情啊,唉,大起来可怎么得了!"

没头脑就是这么个没头脑。

有一天晚上,他家"戒严"了。怎么哪?没头脑坐下做功课,练习本怎么也找不着。桌子的一个大抽屉、四个

3

小抽屉都给拉了出来，里面的东西倒得到处都是。弟弟妹妹一看不妙，马上蹑手蹑脚躲到屋子外面。四岁的小胖子站在屋子门口，看见有人来就摆手，叫他不要响。弟弟妹妹都知道，哥哥一找不到东西，准得拿他们出气：

"我的本子，八成你们给拿走了！"

"你们吵个没完，我头都给闹昏了，本子也不知搁哪儿去了！"

"走开走开，别碍手碍脚的！"

一下子，桌子上、床上、地上都是翻出来的东西。大前天半天没找到的橡皮，翻出来了；前天半天没找到的铅笔，翻出来了；昨天半天没找到的铅笔盒,翻出来了;今天早晨半天没找到的尺,翻出来了,就没找到现在等着用的练习本。没头脑这份累呀!他在椅子上坐下来,咦,屁股上是什么呀?他一摸,屁股口袋里不正是练习本吗?没头脑松了口气,就想做功课。可是课本呢?它刚才还在桌子上,这会儿满桌子都是书,往哪儿去找哇?没头脑一下泄了气,看着乱七八糟的屋子直发呆。

正在这时候,妈妈回来了。"妈妈!"弟弟妹妹像大阴天看见了太阳,欢天喜地地扑过去。妈妈进屋子一看:"唉,没头脑,又是怎么回事!也不知哪天我回来能看到屋子里整整齐齐

注音版
没头脑和不高兴

的！"妈妈一面收拾东西，一面直唠叨："瞧你这个没头脑，大起来怎么做大事情啊，唉，大起来怎么得了！"

这几句话没头脑听都听烦了。他

撅起了嘴，嘟囔着说："这是小事情，算得了什么，我才不在乎哪！大起来做大事情，那可是另外一回事！"他一不高兴，功课也不做了，就上床去睡觉。

没头脑躺在床上，心里说："这点小事，也犯得着嘀咕个没完！哼，瞧我大起来好好儿做几件大事情给你们看看。可是我哪天才能大起来呢？等不及了！等不及了！"

没头脑正在想心事，只听见窗外有人叫他："没头脑，快出来，有好玩儿的！出来，快点！"

没头脑竖起耳朵一听，是他的要好同学"不高兴"。他连忙打开窗子，

7

只见不高兴上气不接下气，说："快走，碰上仙人了！"没头脑正在生妈妈的气，二话不说，跳出窗子，跟了不高兴就跑。

这个不高兴怎么叫不高兴呢？也有个道理。他有那么个怪脾气，一件事情，大伙儿谈得好好儿的，他偏来个"不高兴"，这也不高兴，那也不高兴。大伙儿要上东，他不高兴上东，要上西；大伙儿上西了，他又不高兴上西，要上东。这么个人，谁还高兴跟他玩哪！可你不高兴跟他玩，他可是不高兴你不高兴跟他玩，换句话说，就是他偏高兴跟你玩。真把人烦死了。

这天下了雨，不高兴跟几个同学

一块儿放学回家。大伙儿打由大道走，不高兴不高兴，要抄近道打泥地上走。大伙儿说泥地上都是水坑，劝他不要走。可是不高兴不高兴，走到泥地上去了。同学们看见他老毛病发作，自管自走了。

不高兴在泥地上吧嗒吧嗒迈大步，还大叫大嚷："不高兴！不高兴！不高……""兴"字还没出口，扑隆通，掉到一个大水坑里去了，水都溅了起来，还溅起了蛤蟆似的一样东西。等不高兴抬起头来，只见面前站着一个七八十岁的老头儿，袍服飘飘，像个老寿星。不高兴不由得大吃一惊，一骨碌爬起来。

注音版
没头脑和不高兴

9

中国幽默儿童文学创作
任溶溶系列

老头儿对不高兴说："孩子，不用怕。我看你呀，竖眉毛，瞪眼睛，歪鼻子，撅嘴巴，满脸都是不高兴的样子。你有什么事不高兴啊？我找你好久了。"

不高兴忙问他："你找我干吗？我可不认得你。你是谁？"

老头儿说："我是这一方的仙人，皆因这儿的人都有千里眼顺风耳，能够移山倒海，法术比我还大，本领比我还强，连几岁的孩子都比我聪明，我待着没意思，决定回到天上去。回去以前，我想给人一点快乐，可是我在这个国家里走来走去，到处都是快乐的人，好不容易才算碰到你这个'不高

10

兴'。我存心帮你一个忙，你要什么我答应你什么。只要你这个不高兴一高兴，我也就安心上天了。"

不高兴这下乐得弹出了眼珠子。

他想了想，说："大家说我这也不高兴，那也不高兴，大起来怎么得了。其实这些都是小事，跟大起来做正经事情一点儿没关系。我真想变个大人，做件大事情让大家瞧瞧。"

仙人说："好哇，这好办，我就让你变个大人。可每个人都得干一门活儿，你爱干哪门呢？"

不高兴想了半天，这门活儿不高兴，那门活儿不高兴，最后他想起来了，有一回他在联欢会上跟大家一起

11

注音版
没头脑和不高兴

合唱，唱得好好儿的，不高兴忽然不高兴唱得那么快，于是一个人慢悠悠地唱起来，弄得这个合唱怪腔怪调的还不说，大伙儿一个曲子唱完了，他才唱了三分之一，大家只好听他独唱，唱完那剩下的三分之二。打那回起，大家不敢请他表演节目了。他想演戏，大家都朝他拱拱手，不让他演。

这会儿不高兴想起这个，心里那份不高兴啊，他就马上拿定主意当个演员，好好儿干它一下，出出这口气。

仙人口中念念有词，正要说"变"，不高兴一把拦住他。仙人说："怎么，又不高兴啦？"不高兴说："不！

bù wǒ yǒu gè hǎo péng you lǎo ái pī píng yě ràng tā
不！我有个好朋友，老挨批评，也让他
gāo xìng gāo xìng ba tā de hǎo péng you shì shéi jiù shì
高兴高兴吧！"他的好朋友是谁？就是
méi tóu nǎo yú shì méi tóu nǎo hé bù gāo xìng jí máng pǎo
没头脑。于是没头脑和不高兴急忙跑

注音版

没头脑和不高兴

来了。没头脑说大起来要做个建筑工
程师。

仙人说："我可急着要上天啦。我
现在把你们变成大人,在原来的地方
等你们一个月,你们不来我就走了,切
记切记!"说着他念了几声咒语,一说
"变",只见不高兴和没头脑两人像竹
笋一样,呼的一下子高了起来。他们两
人,于是一个成了演员,一个成了建
筑工程师。

且说没头脑成了建筑工程师以
后,第一件事情就想到给小朋友们建
筑一座少年宫,让全市少年儿童能
同时在里面过节日,过星期日。他画了
个图样,是座三百层的大房子,大厅有

万把个，有剧场，有运动场，有游艺场，有图书馆……总而言之，应有尽有。

房子就照他那个图样盖起来了。

过了两天，没头脑收到请帖，是少年宫请他看戏。他到少年宫去。一路上人山人海，热闹非凡，跟大游行差不多。一个个小孩子身上背着行军袋，脚下穿着运动鞋，还有些孩子抬着帐篷、炉子、锅子、水桶、被子、毯子、褥子，还有些孩子扛着小担架、医药箱。这些人全都朝着一个方向走。没头脑心想，这些孩子多半上哪儿露营去吧，也不多问，就管自己上少年宫去。

15

走不多久,没头脑抬头一看,不远就是他亲自设计的少年宫。这座大楼高不见顶,半腰里云彩缭绕。它不但高,而且大,每一层有汽车、电车行驶。这不是一座房子,像一座一层层的城。没头脑心里说:"怎么样,这件大事情做得不赖吧?"

没头脑走到少年宫门口,刚想进去,守门的将他一把拦住,问他进去干什么。没头脑拿出请帖:"我是来看戏的。"守门的说:"对不起,你这样去看戏,怕戏没看成,人倒饿死了。你看别人是怎么去看戏的,都得带吃的睡的东西哪。"

没头脑听了这话,这才看到,他以

16

为是去露营的人都是进少年宫来的。没头脑摸不着头脑，弄不明白到底是怎么回事，连忙把请帖拿出来仔细一看，只见上面写着：

请你在二月一日到达少年宫门口，出发到少年宫二百二十五楼去看二月十六日演出的戏。一路上不供膳宿，粮食寝具都请自备。

看戏要带粮食寝具，这倒新鲜。没头脑忙问是什么道理，守门的说："说来真是抱歉。这房子虽然有三百层高，可是只有楼梯，没有电梯，上去只好一步一步走。剧场在二百二十五楼，算下来上去得走半个月，加上看完了

17

注音版
没头脑和不高兴

戏下来走半个月，前后就是一个月了，你不带吃的东西，那不是要饿死吗？"

守门的看见没头脑呆住了，心想他没有吃的睡的东西，急坏了，就安慰他说："不要紧，我给你开一张条子，一路上会照顾你吃的睡的。"

没头脑直到这会儿还没开口，他是没法儿开口。电梯给忘了！设计图样的时候怎么不好好儿想想呢？

这时候有几个学生走过："我这回考试门门功课得满分，让我到少年宫来看一场戏。寒假一共休息一个月，正好来得及。"

没头脑硬着头皮，接过守门的给

他的条子，悄悄地跟着大伙儿进了少年宫。

这少年宫里真个是富丽堂皇，就少一样：电梯！这时孩子们上楼，一个个精神百倍，有说有笑，嘻嘻哈哈，你追我赶。第一天是这样，第二天也还好，第三天就差劲了，第四天大家不唱歌也不跑了，悄没声儿地走着，到了第五天、第六天……大家都垂头丧气，怨起工程师来了："这么高的房子，连个电梯都没有！""一定是给忘了！""没头脑！""这工程师准是从小就没头脑，长大了做大事情还那样没头脑！"没头脑在一旁听了，不吱一声，心里实在惭愧。

19

没头脑跟着大家上楼,一天不停,走了十五天,总算来到了剧场。剧场外面的衣帽间、休息室堆满了被子、毯子、锅子、炉子以及粮食。假定说每个人出发时带三十斤粮食,走了半个月,还剩十来斤,那么五六千人来看戏,单粮食就有十万斤,这儿像个粮仓了。

没头脑来到剧场,一看节目单,你说是谁在演出?原来是他的老朋友不高兴。这次演的戏是《武松打虎》。大家一定知道,《武松打虎》是古典文学名著《水浒传》里的一段故事,讲的是好汉武松喝了酒过景阳冈,遇到老虎,抡起拳头,三拳两拳就把它给打死了。不高兴演的就是这只老虎。大家不要以为演老虎简单，才不简单哪。老虎得演得凶猛，演得不凶猛，就显不出武松的本事。老虎可是个重要角色。

这时候，剧场里锣鼓锵锵锵锵敲起来了。天鹅绒幕布拉开，台上一片阴森森的夜间景色。一个醉醺醺的人歪歪倒倒地走出来，手里拿着一根棍棒。这人就是大名鼎鼎的武松。霎时之间，只听见呼的一声，武松猛地一惊，酒也醒了几分，只见树木后面扑出一只吊睛白额猛虎，这猛虎当然就是不高兴。他向武松扑来，跳得高，蹿得快，观众起劲地拼命拍手。武松迎

21

tóu gěi tā yī bàng, bàng duàn le, jiù chì shǒu kōng quán gēn
头给他一棒，棒断了，就赤手空拳跟
tā dǎ
他打。

luó gǔ qiāng qiāng qiāng qiāng qiāo gè bù tíng wǔ
锣鼓锵锵锵锵敲个不停，武
sōng lǎo hǔ sī dǎ gè méi wán yī lái yī wǎng zú zú
松、老虎厮打个没完，一来一往，足足
dǎ le liǎng sān gè zhōng tóu wǔ sōng hū lū hū lū zhí
打了两三个钟头，武松呼噜呼噜直
chuǎn qì lǎo hǔ què hái shi jīng shen jiǔ jiǔ wǔ sōng qīng
喘气，老虎却还是精神赳赳。武松轻
qīng gēn lǎo hǔ shuō gòu le gòu le nǐ děi dǎo xià lái sǐ
轻跟老虎说："够了够了，你得倒下来死
le lǎo hǔ huí dá shuō bù gāo xìng
了！"老虎回答说："不高兴！"

qiāng qiāng qiāng qiāng yòu dǎ xià qù zú zú dǎ le
锵锵锵锵，又打下去，足足打了
sì wǔ gè zhōng tóu wǔ sōng quán tóu dōu jǔ bù qǐ lái
四五个钟头，武松拳头都举不起来
le yāng qiú lǎo hǔ kuài diǎn tǎng xià lái lǎo hǔ hái shi
了，央求老虎快点躺下来，老虎还是
shuō bù gāo xìng
说："不高兴！"

qiāng qiāng qiāng qiāng yòu dǎ xià qù zú zú dǎ le
锵锵锵锵，又打下去，足足打了
shí jǐ gè zhōng tóu wǔ sōng dòng dōu dòng bù liǎo la kěn
十几个钟头，武松动都动不了啦，恳
qiú lǎo hǔ mǎ shàng tǎng xià lái kě lǎo hǔ zhǐ shì bèng guò
求老虎马上躺下来，可老虎只是蹦过

lái tiào guò qù　　yī ge jìnr　de shuō　　bù gāo xìng bù
来跳过去，一个劲儿地说："不高兴不

gāo xìng
高兴！"

wǔ sōng dǎ hǔ dǎ le bàn rì bàn yè　hái shi bù
武松打虎打了半日半夜，还是不

fēn shèng fù　jù chǎng zhǐ hǎo xuān bù xiū xi　yù zhī hòu
分胜负，剧场只好宣布休息，欲知后

23

事如何，且看下场分解。

到了第二天，幕布才拉开，养好了精神的老虎凶猛地跳出来，武松懒洋洋地跟在后面。两个一打，又是十几个钟头。武松求过老虎多少回，请他死了算了，无奈老虎斩钉截铁地回答他："不高兴！""不高兴！""不高兴！"最后又只好休息。

第三天，第四天……没完没了地打下去，也不知是武松打虎还是虎打武松，武松怎么也打不死老虎，老虎怎么也"不高兴"死。台上这么一天天往下打，台下的观众可就着急了：

"再打下去可不行了，粮食不够了！"

"再打下去可不行了，学校要开学了！"

"再打下去可不行了，妈妈要坐直升飞机来找我了！"

连观众都求起老虎来了："帮帮忙，倒下来死了吧！"可是老虎"不高兴！就是不高兴！"

没头脑在台下越看越觉得情形不对，不高兴的毛病正好跟自己的毛病一样，都给大家带来害处。

正当台上的武松给老虎逼得走投无路，都快讨饶了，而老虎还在张牙舞爪、神气活现的时候，没头脑冲到台上去，一把抓住老虎的尾巴，也不管老虎狂吼大叫，死不高兴走，就把

25

他拖下台，奔到剧场门口，骑上楼梯把手，呼呼地直往下滑，用一分钟十五米的速度，转过来转过去，转过去转过来，七转八转，一天就滑到了楼下。到了少年宫门口，他坐上出租汽车，来到仙人的地方。

这时候，仙人算算一个月的期限已满，正要上天，没头脑倒拖着不高兴赶来，连忙求他说："谢谢您，把我们变回去吧，变得跟原来那么小，让我们从头来过，得从小养成好的习惯哪！"

一转眼，没头脑他们就缩成原来的样子，一点也没大，一点也没小。他们回到家里，累得倒头就睡。仙人也

26

jiù huí dào tiān shàng ，从此以后，咱们就再
就回到天上，从此以后，咱们就再
yě kàn bù dào xiān rén le
也看不到仙人了。

dì èr tiān méi tóu nǎo yī jiào xǐng lái bǎ hún shēn
　　第二天没头脑一觉醒来，把浑身
shàng xià kàn le gè gòu jiù xiàng méi chū guo shén me shì yī
上下看了个够，就像没出过什么事一
yàng ma
样嘛。

tā shàng xué qián shàng wǒ jiā bǎ zhè jiàn shì qing
　　他上学前上我家，把这件事情
gào su le wǒ wǒ shuō nǐ zhè shì zuò mèng tā shuō bù
告诉了我。我说你这是做梦。他说不
guǎn shì bù shì mèng cóng xiǎo yǎng chéng hǎo xí guàn zǒng shì
管是不是梦，从小养成好习惯总是
duì de xìng kuī xiān rén bǎ tā men chóng xīn biàn huí lái
对的。幸亏仙人把他们重新变回来，
yào shi xiān rén zǒu le hái bù zhī dào zěn me dé liǎo na
要是仙人走了，还不知道怎么得了哪！

lín liǎo tā bǎ mào zi shǒu tào wéi jīn shū bāo
　　临了他把帽子、手套、围巾、书包
dōu jiǎn chá guo bù shǎo le cái zǒu wǒ hěn gāo xìng
都检查过，不少了，才走。我很高兴，
jué dìng bù zài jiào tā méi tóu nǎo le suí shǒu guān shàng
决定不再叫他没头脑了，随手关上
le mén
了门。

kě shì pēng pēng pēng mén xiǎng qǐ lái le wǒ yī
　　可是嘭嘭嘭，门响起来了，我一

27

愣，怎么，没头脑还是没头脑？我开门一看，果然是他。他说："叔叔，对不起，我有一样东西送回来给您，是您上回忘在我家的。"说着，他递给我一支钢笔，就飞也似的走了。

我就用他送回来给我的这支钢笔，记下了他的这个故事。

一个天才杂技演员

打从没牙的小孩到没牙的老人家，我看没有不爱看杂技的。有位八十几岁的老爷爷，三四岁就穿着开裆裤蹲在广场上看变戏法，看耍坛子，到现在还爱带着孙子去看杂技，看得同样津津有味。孙子问他："爷爷，这位叔叔把报纸撕得稀烂，怎么就变了顶帽子呢？爷爷，您回家给我照样儿变几顶，好吗？"老爷爷搔搔头说了："哎

29

注音版
没头脑和不高兴

呀，这玩意儿我都看了几十年啦，就没弄清楚是怎么回事！"要是他弄清楚了，也不会这么百看不厌了。

说到杂技，再没有比咱们那位泰焦傲的演出更热闹的了。他每次演出，不但看杂技的忙，戏院子忙，连医院也够忙的。什么，医院？是医院。因为看泰焦傲的表演得凭证入场。凭什么证？健康检查证。他的表演太惊险了，心脏有毛病的、血压高的、胆子小的都不能看。收票的同志一边儿收票，一边儿看证。

泰焦傲的拿手表演是走钢丝。好几丈高的空中拉着一根钢丝。泰焦傲一出场，又轻又快地沿着云梯似的

30

梯子呼呼地爬到钢丝旁边一个高台上。别人走钢丝，是在钢丝上慢吞吞地一步一步滑过去，那是文的。咱们这位泰焦傲的走钢丝是武的。要不怎么大家要凭证来看他呢？他站在那高台上，头一低，就在钢丝上一个跟头一个跟头翻过去，又一个跟头一个跟头翻回来，翻到钢丝当中，又猛一蹦，离钢丝好几尺，空中一个跟头，又落到钢丝上来。

要知道泰焦傲表演得怎样，看观众的表情就行了。打上边往下看，一个个头抬起来，就像一个脸的海：大脸、小脸、胖脸、瘦脸、长脸、扁脸。眼睛先都睁得老大老大，一下子都闭上

了，就是说："要出事了！"一下子半开半闭，这是说："瞧瞧怎么样！"一下子又睁大了，接着整个戏院子像刮风似的"呼"地飘过一阵松了口气的透气声，全场一致拍手，大叫："好哇！再来一个……"

大家伙儿就这么一会儿眼开，一会儿眼闭；一会儿叹气，一会儿大叫……过了半天，所有的脸同时从上而下"鞠躬"，都低了下来。怎么？泰焦傲从高空上骨碌一翻身，像跳水一样倒头呼呼飞下来，到了地面，"朵落"，一个食指点在地上，全身一动不动地倒立着。接着，就那么用一个指头支着，全身倒立的泰焦傲滴溜溜旋转起来，越转越快，越转越快，转得连人都看不出来了，光剩个影子。旁边那个小丑满场乱转，到处在找，找到后来，连人影子也没有了。泰焦傲已经在后台啦。

泰焦傲今儿晚上是最后一场演出，明天就要去休养。化妆室里满是锦旗花篮，泰焦傲念着："送给杂技界的天才泰焦傲……""送给天才杂技演员泰焦傲……"

这时小丑推门进来，是个才十来岁的孩子。泰焦傲斜眼看他一下："小甄，你看见没有，天才天才！我是天才！天才是天生的才能！你还说跟我学本领呢！学得了吗？看你就不是演杂技的

33

长相，还是一辈子当个小丑得了。嗬
嗬嗬……"

这个孩子叫做甄用工。他求了泰
焦傲多少回，请他教点本领，让他表
演。"泰叔叔，我已经学会……""泰叔
叔，我已经能够……"可是每次说不
上半句，就给泰焦傲顶回去："得有天
才！"可是天才呢，不比鼻子眼睛，瞧不
见，甄用工答不上话来了。

第二天，泰焦傲带了甄用工坐汽
车到休养所。他在屋子里那面狭长的
穿衣镜里一看，自己又高又长，瘦瘦
的，英俊极了，真是天才的样子。他说
不出地高兴，往软绵绵的床上一
躺："嘿，这回我得好好儿休养，甭想

34

叫我再动一动了。服务员同志，来两杯牛奶、十个鸡蛋、一只烤鸡、十块大冰砖……"

甄用工可打岔了："泰叔叔，咱们杂技演员不兴吃这么些的！"

泰焦傲鼻子里出气："哼！那是一般的杂技演员，对于我这个天才的杂技演员，这些规矩都用不上！"

休养就得吃吃喝喝！泰焦傲吃了就睡，不到五秒钟，就打呼噜了。

大清早，太阳还没出来，甄用工真用功，早就练了几个小时的功，这时汗流满面地来敲房门："泰叔叔，该起来练功了！"泰焦傲用枕头捂住脑袋："别闹别闹，我是来休养的，得好好

35

没头脑和不高兴

儿睡！""泰叔叔，这是杂技演员的规矩。""规矩规矩！我是天才，不用这些个！呼——呼——呼！"甄用工只得自己再去练功。

太阳出来了，七点半了，甄用工已经一个劲儿翻了不知多少个跟头，竖了不知多少个蜻蜓，练功练得满头大汗，回来一看，咳，泰焦傲还在睡哪，他就喊："泰叔叔，该起来做广播操了！"泰焦傲把头钻到枕头底下："别闹别闹，我还得睡，天才的杂技演员还做广播操？笑——话！呼！——呼！——呼！"

总而言之，泰焦傲这回躺下，就没起来过。甄用工在外面勤学苦练，他就在里面呼噜呼噜地躺着。吃，他也不起来，就躺着吃。甄用工叫他练功，他就是四个字挡回去："我是天才！"

他的食量越来越大了，一只母鸡一个月下的蛋还不够他一顿吃。他除了吃就是睡，除了睡就是吃。这下子，他的身子胀起来了。他躺在床上，打一个呼噜，身子胀一点，打一个呼噜，身子胀一点，一个呼噜又一个呼噜，身子胀一点又胀一点，就跟自行车胎打气似的。

也不知他睡了多久，忽然有一天甄用工在窗口大叫大嚷："泰叔叔，电报，得马上走，节目都排好了，就等着您！"

37

还有什么说的，走吧！可泰焦傲才转身要坐起来，咕咚一声，已经滚到地上去了。怎么啦？弹簧床太软，他身子太重了。他在地上打了两个滚，像个大皮球似的躺着——也不能说躺，因为头脚不沾地，离地远着哪——手舞足蹈地就是起不来，脚不沾地怎么起来呀！他好不容易像不倒翁似的摇了几下，"朵落"，总算摇摇晃晃地站起来了。全亏他练了那些年的功夫，那两条腿居然支起那么大一个身子！可是不好，他又要往前栽跟头了，因为上身实在太重，他连忙抱住肚子——这也是勉强抱住的，因为两只手没法搁到一块儿去——总算没倒下来。

<ruby>泰<rt>tài</rt></ruby><ruby>焦<rt>jiāo</rt></ruby><ruby>傲<rt>ào</rt></ruby><ruby>简<rt>jiǎn</rt></ruby><ruby>直<rt>zhí</rt></ruby><ruby>弄<rt>nòng</rt></ruby><ruby>不<rt>bù</rt></ruby><ruby>懂<rt>dǒng</rt></ruby><ruby>这<rt>zhè</rt></ruby><ruby>是<rt>shì</rt></ruby><ruby>怎<rt>zěn</rt></ruby><ruby>么<rt>me</rt></ruby><ruby>一<rt>yī</rt></ruby><ruby>回<rt>huí</rt></ruby><ruby>事<rt>shì</rt></ruby>！<ruby>去<rt>qù</rt></ruby><ruby>照<rt>zhào</rt></ruby><ruby>镜<rt>jìng</rt></ruby><ruby>子<rt>zi</rt></ruby><ruby>吧<rt>ba</rt></ruby>，<ruby>哎<rt>āi</rt></ruby><ruby>呀<rt>yā</rt></ruby>，<ruby>镜<rt>jìng</rt></ruby><ruby>子<rt>zi</rt></ruby><ruby>变<rt>biàn</rt></ruby><ruby>小<rt>xiǎo</rt></ruby><ruby>啦<rt>la</rt></ruby>，<ruby>搁<rt>gē</rt></ruby><ruby>不<rt>bù</rt></ruby><ruby>下<rt>xià</rt></ruby><ruby>他<rt>tā</rt></ruby><ruby>了<rt>le</rt></ruby>。<ruby>他<rt>tā</rt></ruby><ruby>照<rt>zhào</rt></ruby><ruby>到<rt>dào</rt></ruby><ruby>了<rt>le</rt></ruby><ruby>左<rt>zuǒ</rt></ruby><ruby>半<rt>bàn</rt></ruby><ruby>边<rt>biān</rt></ruby><ruby>身<rt>shēn</rt></ruby><ruby>子<rt>zi</rt></ruby>，<ruby>右<rt>yòu</rt></ruby><ruby>半<rt>bàn</rt></ruby><ruby>边<rt>biān</rt></ruby><ruby>身<rt>shēn</rt></ruby><ruby>子<rt>zi</rt></ruby><ruby>不<rt>bù</rt></ruby><ruby>见<rt>jiàn</rt></ruby><ruby>了<rt>le</rt></ruby>；<ruby>他<rt>tā</rt></ruby><ruby>照<rt>zhào</rt></ruby><ruby>到<rt>dào</rt></ruby><ruby>右<rt>yòu</rt></ruby><ruby>半<rt>bàn</rt></ruby><ruby>边<rt>biān</rt></ruby><ruby>身<rt>shēn</rt></ruby><ruby>子<rt>zi</rt></ruby>，<ruby>左<rt>zuǒ</rt></ruby><ruby>半<rt>bàn</rt></ruby><ruby>边<rt>biān</rt></ruby><ruby>身<rt>shēn</rt></ruby><ruby>子<rt>zi</rt></ruby><ruby>没<rt>méi</rt></ruby><ruby>有<rt>yǒu</rt></ruby><ruby>了<rt>le</rt></ruby>。<ruby>别<rt>bié</rt></ruby><ruby>说<rt>shuō</rt></ruby><ruby>镜<rt>jìng</rt></ruby><ruby>子<rt>zi</rt></ruby><ruby>小<rt>xiǎo</rt></ruby><ruby>了<rt>le</rt></ruby>，<ruby>屋<rt>wū</rt></ruby><ruby>子<rt>zi</rt></ruby><ruby>也<rt>yě</rt></ruby><ruby>小<rt>xiǎo</rt></ruby><ruby>了<rt>le</rt></ruby>，<ruby>他<rt>tā</rt></ruby><ruby>走<rt>zǒu</rt></ruby><ruby>来<rt>lái</rt></ruby><ruby>走<rt>zǒu</rt></ruby><ruby>去<rt>qù</rt></ruby>，<ruby>不<rt>bù</rt></ruby><ruby>是<rt>shì</rt></ruby><ruby>碰<rt>pèng</rt></ruby><ruby>到<rt>dào</rt></ruby><ruby>这<rt>zhè</rt></ruby><ruby>样<rt>yàng</rt></ruby>

就是碰到那样。椅子也小,挺大的一把椅子,就只搁下他十分之一的屁股。他的肚子现在只有一个好处,顶桌子用,坐下来肚子顶着下巴,杯子干脆往上面搁吧。

可是没工夫端详自己了,时间到啦,得马上走。可是走不了哇!怎么哪?门小了,出不去。甄用工在他后面使劲推也没用,他堵在门洞里了。甄用工好不容易想了个办法,让他侧着身子站在门框里,拼命按他的肚子,让它一点儿一点儿往门外边滑,呼的一下,整个肚子滑到门外去了,泰焦傲连肚子带人总算出来了。

外面汽车已经等着。泰焦傲把脑

袋往车子里一钻，身子半天挤不进去。泰焦傲抽出头来直喘气。猛一下子，后面有人推他的屁股，是把他往一辆大卡车上推。他想用手去推开这人，手又够不到，它们给身子阻碍住了。于是他不知不觉地给推上了车。那人透了一口气，关上栅栏门。

怎么，这辆车子装着栅栏门？原来竟有那么巧，动物园正用汽车装运一头外国送来的大象。半道儿上，大象下车休息吃东西。到了时间，司机就把大象推上车。司机是个冒失鬼，看见面前有个庞然巨物，以为是大象，低下头来，闭上眼睛就把他推上车去。

41

司机正要开车，甄用工提着箱子什么的奔出来一看，连忙跑上驾驶室，跟司机说了几句，车子就开了。旁边那头大象看着，眨巴着它的小眼睛。

一会儿工夫，卡车到了杂技戏院。只见戏院前灯火辉煌，人山人海。"天才杂技演员泰焦傲今天表演绝技"的霓虹灯大字高入云霄。就是巨幅广告上画的那个泰焦傲太不像他本人了。谁说他那么瘦瘦长长的！瞧他本人呢，来了，下车了。他身子一歪，咕隆咚，打跳板上倒栽葱滚了下来，一个其大无比的大皮球！

杂技戏院里鼓敲起来了，喇叭吹起来了，扩音器报告说："天下闻名的

42

天才杂技演员泰焦傲表演钢丝绝技!"

说时迟那时快,在打雷似的掌

声中,泰焦傲跑出来——不,滚着出

来了。他滚到了钢丝架下面,用小手

抓抓小头,怎么办,上不去呀?他要

上梯子,肚子在梯子上顶住,两只手

怎么也抓不到扶手。别说他焦急,这时

全场的观众都焦急,鸦雀无声。也

亏小丑甄用工想出个办法,赶快把吊

道具的钩子放下来,在泰焦傲的裤带

上一钩,开动起重机,把巨大的泰焦

傲一摇一晃地给吊了上去。

泰焦傲到了钢丝旁边的高台

上,呼哇呼地喘了半天气,一个跟头

滚在钢丝上,想要滚到那头去,可是

43

wū de yī xià zi
呜的一下子，他像滑滑梯一样，滑到

le gāng sī dāng zhōng   jiù xuán zài nà lǐ   gāng sī biàn
了钢丝当中，就悬在那里。钢丝变

chéng gè jiān jiān cháo xià de sān jiǎo xíng   tài jiāo ào jiù zài
成个尖尖朝下的三角形。泰焦傲就在

sān jiǎo xíng de jiān jiān shang   yě bù néng shàng   yě bù néng
三角形的尖尖上，也不能上，也不能

xià   shén me dào lǐ   zhòng ma
下。什么道理？重嘛。

lǎo shi shuō   tài jiāo ào de běn lǐng shì hǎo   xīn li
老实说，泰焦傲的本领是好，心里

suī rán huāng   què bù lù chū lái   qiáo ba   tā zài gāo kōng
虽然慌，却不露出来，瞧吧，他在高空

zhōng biǎo yǎn dàng qiū qiān le   kě shì lǎo dàng qiū qiān yě
中表演荡秋千了。可是老荡秋千也

bù xíng a   zhǐ hǎo zài gāng sī shang biǎo yǎn xīn jié mù
不行啊，只好在钢丝上表演新节目

gǔn qiú   tā nà ge yuán shēn zi zài gāng sī shang dǎ
——滚球，他那个圆身子在钢丝上打

zhe gǔn   xià miàn shì mǎn chǎng zhǎng shēng   kě shì gāng sī
着滚。下面是满场掌声。可是钢丝

shòu bù zhù le   tā cóng lái méi chéng dān guo zhè me dà de
受不住了，它从来没承担过这么大的

zhòng liàng   bèi tài jiāo ào yuè zhuì yuè xì   yuè zhuì yuè xì
重量，被泰焦傲越坠越细，越坠越细，

jiā shàng tā zhè me luàn gǔn   yī xià zi   bēng
加上他这么乱滚，一下子，嘣！……

bù hǎo le   diào xià lái le   zhè me dà
"不好了！""掉下来了！""这么大

44

的个子，落下来不把地砸出个大窟窿才怪！""压到头上来还了得！""妈呀！"这些个话是下面大伙儿七嘴八舌同时说的。钢丝虽然高，泰焦傲从上面掉下来的那段时间可没法说一个长句子。大家一边儿说，一边儿把眼睛都闭上了。认命吧！

泰焦傲像颗大炸弹似的直往下掉，呜——眼看这颗"炸弹"就要爆炸了！咦，怎么没动静啊？闭着的眼睛就偷偷张开一点，接着，所有的眼睛都睁大了。只见泰焦傲离地不远，像个大皮球似的转个不停。

大家喘过气来再一看，大球下面正是那个小丑，就是天天刻苦练功的

45

zhēn yòng gōng　　yòng yī gè shǒu zhǐ tou dǐng zhù zhuàn gè bù
甄用工，用一个手指头顶住转个不

tíng de tài jiāo ào　　zài biǎo yǎn shuǎ qiú na　 xiǎo chǒu zài bǎ
停的泰焦傲，在表演耍球哪！小丑再把

zhǐ tou xiàng shàng yī dǐng　 tài jiāo ào wǎng shàng yī bèng
指头向上一顶，泰焦傲往上一蹦；

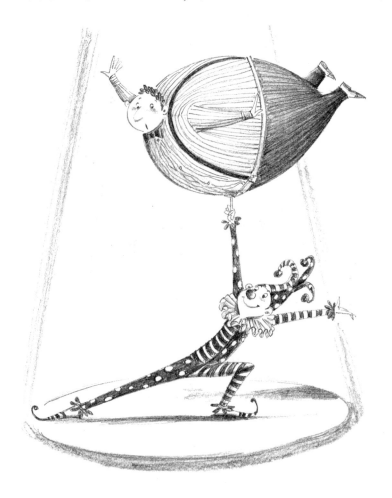

46

xiǎo chǒu yī gè gēn tou tǎng zài dì shang jǔ qǐ liǎng zhī
小丑一个跟头，躺在地上，举起两只

jiǎo bǎ zài diào xià lái de dà qiú dēng de gū lū lū fēi
脚，把再掉下来的大球蹬得咕噜噜飞

zhuàn
转……

　　kàn zhè yàng de jié mù zhēn shi rén dōu huì gěi xià
　　看这样的节目，真是人都会给吓

sǐ xìng kuī lái kàn zá jì de rén dōu yǒu yī zhāng jiàn kāng
死，幸亏来看杂技的人都有一张健康

jiǎn chá zhèng méi chū shìr
检查证，没出事儿。

奶奶的怪耳朵

在我住的大楼里有个会报时的
钟，那就是闹……

"当然是闹钟！"谁都会说。

非也，不是闹钟，是闹闹，闹闹是
个孩子。

我晚上睡得太晚了，早上常常
睡过头。可我上班从没迟到过，这都
亏闹闹。

每天早晨总是闹闹的闹声把我

闹醒。

先是"咚咚咚"的下楼脚步声，

接着是他从上而下的大叫声：

"都来不及了，你还要我吃那么烫

的粥。不吃，我说不吃就是不吃……"

"都来不及了，你还要我换衬衫。

不换，我说不换就是不换……"

闹闹说的"你"，就是他的奶奶。

我一看钟，七点半，正好，赶快

起床去上班。

下午我在家工作，一个劲儿地写

啊写啊。

到时候自然会听到这样的"三部

曲"："咚咚咚"的上楼脚步声；接着

是"嘭"，脚踢房门的声音；接着是闹

nào de dà jiào shēng
闹 的 大 叫 声 ：

è huài le   nǐ kuài gěi wǒ chī diǎn xin
"饿 坏 了，你 快 给 我 吃 点 心！"

zěn me gǎo de   yī diǎn chī de dōu méi yǒu   kuài
"怎 么 搞 的，一 点 吃 的 都 没 有？快

kuài kuài   nǐ gěi wǒ diǎn qián   wǒ qù mǎi dàn gāo chī
快 快，你 给 我 点 钱，我 去 买 蛋 糕 吃！"

nào nào shuō de   nǐ   dāng rán yě shì tā de
闹 闹 说 的 "你"，当 然 也 是 他 的

nǎi nai
奶 奶。

wǒ yī kàn zhōng   sì diǎn bàn   zhèng hǎo   chū qù
我 一 看 钟，四 点 半，正 好，出 去

sàn sàn bù   wǎn shang hái yào xiě ne
散 散 步，晚 上 还 要 写 呢。

wǒ zhè ge rén zuì bù ài nào   wǒ kàn yě méi shén
我 这 个 人 最 不 爱 闹，我 看 也 没 什

me rén huì ài nào de   kě tā yào nào   nǐ yě méi bàn
么 人 会 爱 闹 的，可 他 要 闹，你 也 没 办

fǎ   bù guò nào nào zǎo bù nào wǎn bù nào   nào de zhèng shì
法。不 过 闹 闹 早 不 闹 晚 不 闹，闹 得 正 是

shí hou   duì wǒ lái shuō zhèng hǎo   yào bù wǒ zěn me shuō
时 候，对 我 来 说 正 好，要 不 我 怎 么 说

yǒu gè huì bào shí de zhōng ne
有 个 会 报 时 的 钟 呢？

kě zhè jǐ tiān wǒ luàn tào le
可 这 几 天 我 乱 套 了。

zǎo chen wǒ yī xiàng bù zhī xǐng   quán kuī nào nào
早 晨 我 一 向 不 知 醒，全 亏 闹 闹，

zhè cái méi shuì guò tóu　　kě zhè jǐ tiān wǒ què shì zì jǐ xǐng
这才没睡过头，可这几天我却是自己醒

le　shū shū fú fú de tǎng zhe bì mù yǎng shén　fǎn zhèng
了，舒舒服服地躺着闭目养神，反正

nào nào hái méi nào　zǎo zhe na
闹闹还没闹，早着哪。

kě bù duì ya　zěn me děng le hǎo bàn tiān hái méi
　　可不对呀，怎么等了好半天还没

shēng yīn　zhēng kāi diǎn yǎn jing kàn kàn　tiān tǐng liàng le
声音？睁开点眼睛看看，天挺亮了。

kàn kan zhōng　āi yā　bù hǎo　dōu yǐ jīng bā diǎn líng liù
看看钟，哎呀，不好，都已经八点零六

fēn le　wǒ yī gū lu qǐ chuáng　suàn wǒ yǒu néng nai
分了。我一骨碌起床，算我有能耐，

wǔ fēn zhōng jiù yī kǒu qì chuān
五分钟就一口气穿

hǎo yī fu xǐ guo liǎn
好衣服洗过脸

51

刷完牙拎着包出了门走在街上了。十九分钟来到办公室，正好八点半。就是早饭没顾上吃，空着肚子办公。

下午我在家里写啊写的，钟也不看，反正有闹闹的三部曲。可今天怎么啦，肚子有点饿了，天也黑了，三部曲却还没开始。一看钟，都六点半了。

一天这样。

两天这样。

三天这样。

早晨不吃早饭，下午不散散步，那不要得胃病吗？

我倒希望闹闹闹，他不闹，我连日子都没法过。

一天这样。

liǎng tiān zhè yàng
两天这样。

sān tiān zhè yàng
三天这样。

yī gòng jǐ tiān le
一共几天了？

ràng wǒ qiā zhǐ suàn suàn　　yī tiān　　liǎng tiān　　sān
让我掐指算算。一天，两天，三

tiān sì tiān wǔ tiān liù tiān dōu liù tiān le
天，四天，五天，六天，都六天了。

wǒ jí de jiǎn zhí méi zhé la　　hǎo　　wǒ děng
我急得简直没辙啦！好，我等

zhe nǐ
着你。

dì qī tiān　　bù　　dì qī tiān shì xīng qī rì　　wǒ
第七天，不，第七天是星期日，我

méi děng　　shì dì bā tiān　　dì bā tiān xià wǔ　　wǒ fǎn zhèng
没等，是第八天。第八天下午，我反正

xīn zhōng yǒu shì　　xiě bù chéng dōng xi le　　gān cuì　　sān
心中有事，写不成东西了，干脆，三

diǎn wǒ jiù duān le bǎ yǐ zi zuò zài dà mén kǒu　　zhuān děng
点我就端了把椅子坐在大门口，专等

nào nào fàng xué huí jiā　　zhè ge mén nǐ zěn me yě děi jìn
闹闹放学回家。这个门你怎么也得进。

wǒ zuò zhe zuò zhe　　shí zài tài wú liáo　　zài jiā
我坐着坐着，实在太无聊，再加

shàng zǎo chen méi shuì hǎo　　dǎ qǐ dǔn lái le　　zhè ge dǔn
上早晨没睡好，打起盹来了。这个盹

yě bù zhī dǎ le duō shao shí hou　　wǒ mí mi hú hú de
也不知打了多少时候，我迷迷糊糊的，

53

忽然身边悄没声儿地闪过一个人影。

我忙张开眼睛一看：不正是闹闹吗？

"闹闹，闹闹！"我赶紧叫住他。

"哎呀，老爷爷，真对不起，我把您给吵醒了！"

"没的事，我不是让你给吵醒的，我是专门在这里等你的。"

"老爷爷，您有事吗？……不过我得先请问一声，我说话您能听见吗？"

"我又不是聋子，哪能听不见？你现在这样挺有礼貌地说话，我一个字一个字都听得清清楚楚，倒是有时候你大声哇哇叫，把我耳朵也震聋了……"

闹闹听了脸一红。

"我有件事要问你,"我说,"上我家坐一会儿行吗?"

"行行行。不过先让我上去跟奶奶说一声,省得她等着。"

他于是上楼……可没有我原来听惯的"咚咚咚"的脚步声,没有"嘭"的踢门声,也没有"哇哇"的大叫声,怪不得我听不见他上学放学了。

转眼他已经坐在我面前。我开门见山就提出我的疑问:"闹闹,你现在怎么不闹了?你不闹,倒害得我好苦啊!"

闹闹听着,脸一会儿红,一会儿青,最后哈哈笑了起来。

"老爷爷,问题都出在我奶奶的耳

55

duo shang
朵上。"

nǐ nǎi nai de ěr duo zěn me la
"你奶奶的耳朵怎么啦？"

tā yǒu yī shuāng guài ěr duo yǒu shí hou tīng de
"她有一双怪耳朵，有时候听得
jiàn yǒu shí hou tīng bù jiàn
见，有时候听不见。"

zhè jiào zuò ěr bèi yǒu shén me hǎo qí guài de
"这叫做耳背。有什么好奇怪的？
suì shu dà le ěr duo jiù bèi lián wǒ yě kāi shǐ yǒu zhè
岁数大了，耳朵就背。连我也开始有这
máo bìng le
毛病了。"

bù bù bù tā de ěr bèi yǔ zhòng bù tóng
"不不不，她的耳背与众不同
……"

yú shì tā gěi wǒ jiǎng le tā nǎi nai nà shuāng guài
于是他给我讲了他奶奶那双怪
ěr duo de gù shi
耳朵的故事。

huà shuō nà tiān xià wǔ nào nào fàng xué huí jiā dōng
话说那天下午闹闹放学回家，"咚
dōng dōng shàng lóu wǒ zǎo shuō guo le zhè shì dì yī
咚咚"上楼（我早说过了，这是第一
bù qǔ pēng de yī shēng tī kāi le fáng mén wǒ
部曲），"嘭"的一声踢开了房门（我

也说过了，这是第二部曲），把书包往桌子上一扔，哇哇大叫（这样三部曲就全了）："饿坏了，饿坏了，你快给我吃……"

闹闹这闹声别说整个房间都听见，连整座大楼上三层下三层都听见了，要不我在楼下怎么都听见啦，可是……他奶奶没听见。

他奶奶不在别的地方，偏偏就在房间里。她背着门，就坐在那里听收音机。闹闹这么"咚咚咚"上楼，这么"嘭"的一声踢开房门，这么哇哇大叫，她身子竟然连动也不动，就像没有这些声音似的。

几层楼都听见的声音，她就在这

57

声音的发源地却反而听不见，要不怎么说她耳背呢？

也许有人会说，这都因为她脸背着闹闹，耳朵也背着闹闹，所以才听不见。瞧她，收音机开得很轻，在放越剧，她倒听见了，而且听得津津有味，就因为她耳朵对着收音机的缘故。要是她对着闹闹，耳朵也对着闹闹，那就一定听见了。

也不然。

这天晚上吃饭，就她和闹闹两个，该是面对面了吧？可她的耳朵还是不灵。

闹闹一看桌子上的菜，先就不高兴。怎么能没炒鸡蛋？他早晨就大叫

大闹地跟奶奶说过,今天晚上非吃炒鸡蛋不可。于是他筷子一扔,叫起来了:"我要吃炒鸡蛋!我要吃炒鸡蛋!我要吃炒鸡蛋!"

奶奶也停下筷子,用眼睛盯住他的嘴看。(真是的,干吗用眼睛看啊?用耳朵听才对。)她觉得很奇怪,轻轻地说:"你的嘴像大头鱼那样一张一张地干什么?"

闹闹叫得更响了:

"我要吃炒鸡蛋!我要吃炒鸡蛋!"

奶奶从惊奇到着急:"怎么啦,脸这么红,都发紫了。别是生病了吧?发烧了没有?"她连忙站起身子,过来摸

60

闹闹的脑门，"倒没发烧。可你的模样怎么这样可怕呀？"

闹闹一个劲儿地叫："我要吃炒鸡蛋！我要吃炒鸡蛋！我要吃……"

他嗓子也叫哑了，不知怎么搞的，眼泪就扑簌扑簌地流下来。他这是气呀！

奶奶戴上老花镜，仔细地看闹闹（照说该听），看了半天，于是得出结论："我总算弄明白了，你这是牙疼。嘴一张一张，声音也叫不出，疼得眼泪都流下来了。真是的，牙疼不是病，疼死没人问！……让我来看看你哪颗牙有病……"

注音版
没头脑和不高兴

61

nǎi nai shuō zhe jiù wān xià yāo dī xià tóu lái kàn
奶奶说着就弯下腰，低下头来看
nào nào zhāng dà de zuǐ hái yī ge jìnr de wèn nǎ kē
闹闹张大的嘴，还一个劲儿地问哪颗
yá téng shàng miàn de hái shi xià miàn de zuǒ miàn de hái
牙疼：上面的还是下面的，左面的还
shi yòu miàn de
是右面的。

nào nào bǎ zuǐ wǔ zhù qì de yòu kū yòu jiào
闹闹把嘴捂住，气得又哭又叫：
wǒ de yá yī diǎn máo bìng yě méi yǒu zhēn ná nǐ méi bàn
"我的牙一点毛病也没有，真拿你没办
fǎ
法。"

kě nǎi nai yìng bǎ tā de shǒu lā kāi yòng dài zhe
可奶奶硬把他的手拉开，用戴着
lǎo huā jìng de yǎn jing bǎ tā de dà zuǐ qiáo a qiáo
老花镜的眼睛把他的大嘴瞧啊瞧。
yǒu le yǒu le lǐ miàn yǒu yī kē yá yǒu máo bìng
"有了有了，里面有一颗牙有毛病
nuò shàng miàn zuǒ bian nà yī kē
……喏，上面左边那一颗……"
shén me shàng miàn zuǒ bian nà yī kē nào nào
"什么，上面左边那一颗？"闹闹
dào nòng shǎ le gěi nǎi nai yī shuō nà biān yá chǐ dào hǎo
倒弄傻了。给奶奶一说，那边牙齿倒好
xiàng shì yǒu diǎn yì yàng nán dào yá chǐ zhēn yǒu máo bìng
像是有点异样。难道牙齿真有毛病？
nǎ yī kē nǎ yī kē
"哪一颗？哪一颗？"

63

"那一颗,那一颗。"

他照奶奶指点的去摸那颗牙。

"嘿,什么有毛病,那牙前年补过,根本不疼。"他心里踏实,也就不再觉得牙齿有什么异样了。可奶奶按着他的脑袋继续看嘴巴,不让他把嘴闭上。

"哎哟哎哟,我受不了啦,我的妈呀!"

"不对了,瞧你,受不了啦。"奶奶这句话倒不是她听了闹闹的话说的,因为她根本就听不见。她是看着闹闹的难受表情说的,"唉,看也没用,得上牙科诊所去,可这会儿牙科诊所都关门了。还是那句老话:牙疼不是病,疼死没人问。看牙病没急诊,真是的,不

64

zhī shéi dìng de guī ju　　kě nǐ fàn yě méi fǎ chī　nà kě
知谁定的规矩。可你饭也没法吃，那可

zěn me bàn　　zhè yàng ba　wǒ lái gěi nǐ chī zhǐ tòng piàn
怎么办？这样吧，我来给你吃止痛片
……"

　　nǎi nai shuō zhe jiù qù fān chōu ti　zhǎo chū yī piàn
　　奶奶说着就去翻抽屉，找出一片

zhǐ tòng piàn　yòu dào le　yī bēi kāi shuǐ　guò lái yào nào nào
止痛片，又倒了一杯开水，过来要闹闹

chī yào piàn
吃药片。

　　nào nào gěi zhē teng de lì qi yě méi yǒu le　zhǐ
　　闹闹给折腾得力气也没有了，只

65

好讨饶："奶奶，奶奶，我谢谢您了……"

奶奶忙说："好了好了，你说话了。谢我干吗？自己人，不用谢。快吃药，你吃了药牙就不疼了。"

且慢，闹闹这句话奶奶是真听见了。她半天听不见，这会儿怎么又听见了呢？闹闹一上来不说了嘛，奶奶的耳朵怪。要不听见半天听不见，要听见一听就听见了。可这句话她又是怎么听见的呢？

闹闹有气无力地低声说："奶奶，我的牙实实在在不疼。"

"哦，你的牙不疼了，那好，就不用吃药了，还是吃饭吧。"

这句话奶奶也听见了。

可闹闹想了想，太冤了，刚才白白叫了一通，折腾了一番，结果炒鸡蛋还是没吃上。不行，不能白叫，也不能白折腾，再说气也缓过来了，精力也有了，于是他指着嘴大叫：

"我要吃炒鸡蛋！我要吃炒鸡蛋！我要吃……"

"糟了，"奶奶说，"你的牙又疼了，疼得话也说不出来，光指着嘴巴告诉我牙疼！不要紧不要紧，快把止痛片吃下去，包你不疼，明儿一早上牙科诊所去看病……"

闹闹的话奶奶又听不见了。

闹闹这回再不肯让奶奶按住了，他刚才已经给折腾够啦。他连忙打椅

67

子上跳起来，向奶奶一个九十度鞠躬："奶奶，谢谢您了好不好？我再也受不了啦！"

奶奶一手拿药片，一手拿着杯子，停下了："好孩子，受不了就快吃药……"

闹闹这话奶奶又听见了。

"不不不，"精疲力竭的闹闹轻轻地说，"我的牙一点儿也不疼……"

"那你干吗张大嘴，指着它说不出话来呢？"

闹闹这话奶奶也听见了。

"我怎么说不出话来？我叫得比扩音机还响，您就是听不见。"

"我怎么会听不见，别说叫，你现在轻轻说话我也听得清清楚楚。"

69

"唉，就这么怪，我哇哇叫您听不见，我轻轻说话，您倒听见了。"

"你到底怎么回事啊？"

"我想……吃炒鸡蛋。奶奶，我想吃炒鸡蛋。"

"哎呀，瞧我这记性，鸡蛋我早炒好了，偏忘了给端出来。你早晨说要吃炒鸡蛋，我都炒好了。你刚才干吗不提醒我一声？"

"还说我不提醒呢，瞧我嗓子都喊哑了！"闹闹心里说。

不过闹闹的话这会儿奶奶全都听见了。

闹闹一面吃炒鸡蛋，一面想："奶奶真好，她一点没忘记给我吃炒鸡蛋。我不该老哇啦哇啦对她嚷嚷。再说，我乒零乓啷地闹，得花力气，哇啦哇啦地叫，嗓子会哑，既然大闹大叫根本没有必要，我又不是傻瓜，干吗要浪费我的精力呢？……哎呀，不能光顾自己吃炒鸡蛋，奶奶也应该吃，我来夹给她……"

"你不用客气，看着你牙齿不疼，吃得挺欢，我就高兴了。"奶奶说。

奶奶那双怪耳朵不但听到了闹闹说得很轻很轻的话，连他想说还没说出来的话也听到了。

上面就是闹闹给我讲的故事。我就不相信天下有他奶奶那样的怪耳

71

朵，可闹闹说这是真的。

"而且恐怕不仅我奶奶有。前些日子我和一个同学上鲁迅公园，不认识路，我对身边一位老大爷说：'喂，鲁迅公园怎么走？'那老大爷根本听不见，走过去了。我那同学在他背后轻轻说了声：'老大爷，请问您……'那老大爷回过身微笑着把路告诉了他。我看这老大爷也有双怪耳朵……"

我认为这只能是童话。可不管怎么说，闹闹如今不再闹了。他不再闹，我就得重新安排我的生活。

因为在我住的大楼里再没有原来的闹闹，也就再没有那会报时的钟。

小妖精的咒语

小妖精我们都没见过，本来嘛，那只有童话里有，可我的同学阿土却见到了，还打了交道。因此我一直纳闷，难道是他跑到童话世界里去了？

事情是这样的：阿土的算术一直不行，一次也没有全答对过。83×7=？他的答案是671。也不知他是怎么算出来的。后来阿土失去了信心："我根本就不是搞数学的这个料！"

注音版
没头脑和不高兴

73

kě bù guǎn tā shì bù shì zhè ge liào suàn shù hái
可不管他是不是这个料，算术还

shì děi zuò zhè tiān wǎn shang tā yòu zuò suàn shù zuò yè
是得做。这天晚上他又做算术作业

le guāng zhè ge suàn tí tā jiù zuò le yī
了。322÷7＝？光这个算题他就做了一

xiǎo shí líng sān fēn zěn me yě chú bù jìn jiē xià lái
小时零三分，怎么也除不尽。接下来

huán yǒu wǔ dào tí ne
还有五道题呢！

ài tā gǎn dào kǔ nǎo sǐ le xiǎo yāo
"唉……"他感到苦恼死了。小妖

jing jiù zài zhè ge shí hou chū xiàn le
精就在这个时候出现了。

xiǎo yāo jing shì shén me mú yàng de wǒ men wèn
"小妖精是什么模样的？"我们问

ā tǔ
阿土。

zhè kě bù néng shuō xiǎo yāo jing dīng zhǔ guo wǒ yào
"这可不能说。小妖精叮嘱过我要

bǎo mì
保密。"

fǎn zhèng xiǎo yāo jing chū xiàn le wèn tā zhè me
反正小妖精出现了，问他："这么

róng yì de suàn tí nǐ zěn me jiù zuò bù chū lái ne nǐ
容易的算题，你怎么就做不出来呢？你

dào dǐ zěn me zuò de
到底怎么做的？"

nà hái yòng wèn xiān yòng qī lái chú
"那还用问。322÷7，先用七来除

74

三十二，七三三十一，余一，七除十二，

七二就是十六了，怎么除得尽呢？"

"嗯，我既然是小妖精，就能教你

一个咒语把算术做出来。不过我这个

咒语长了一些，你记得住吗？"

"好像还可以，我记得我的曾曾

祖父叫阿水，我曾祖父叫阿火，我的祖

父叫阿木，我的父亲叫阿金，我叫阿

土。你的咒语是'芝

麻芝麻开开

门'吗？"

"不对。不许多问，只许记住。一回
记不住我还可以再念，念到你记住为
止。我这是帮忙帮到底，童话里有这
样耐心的小妖精吗？现在开始：'一一
得一，一二得二，一三得三，一四得四，
一五得五，一六得六，一七得七，一八
得八，一九得九；二一得二，二二得四，
二三得六，二四得八，二五得十，二六
一十二，二七一十四，二八一十六，二
九一十八；三一得三，三二得六，三三
得九，三四一十二，三五一十五，三六
一十八，三七二十一，三八二十四，三
九二十七；四一得四，四二得八，四三
一十二，四四一十六，四五得二十，四
六二十四，四七二十八，四八三十二，

76

四九三十六；五一得五，五二得十，五

三一十五，五四得二十，五五二十五，

五六得三十，五七三十五，五八得四

十，五九四十五；六一得六，六二一十

二，六三一十八，六四二十四，六五得

三十，六六三十六，六七四十二，六八

四十八，六九五十四；七一得七，七二

一十四，七三二十一，七四二十八，七

五三十五，七六四十二，七七四十九，

七八五十六，七九六十三；八一得八，

八二一十六，八三二十四，八四三十

二，八五得四十，八六四十八，八七五

十六，八八六十四，八九七十二；九一

得九，九二一十八，九三二十七，九四

三十六，九五四十五，九六五十四，九

注音版
没头脑和不高兴

77

qī liù shí sān jiǔ bā qī shí èr jiǔ jiǔ bā shí yī
七六十三，九八七十二，九九八十一。"

zhè me cháng de zhòu yǔ   ā tǔ shuō
"这么长的咒语？"阿土说。

shì cháng le yī diǎn kě shì líng niàn ba yī
"是长了一点，可是灵。念吧：一

yī dé yī
一得一……"

ā tǔ bèi chū le xiǎo yāo jing de zhòu yǔ   dí què
阿土背出了小妖精的咒语。的确

líng yī zuò suàn tí jiù zuò chū lái le   qī
灵，一做算题就做出来了："322÷7，七

sì èr shí bā yú sì qī liù sì shí èr dá shù shì
四二十八，余四，七六四十二，答数是

líng líng jí le
46。灵，灵极了！"

ā tǔ bù dàn yī xià zi zuò duì le shèng xià de wǔ
阿土不但一下子做对了剩下的五

dào tí guò le liǎng tiān suàn shù cè yàn tā hái dé le yī
道题，过了两天算术测验，他还得了一

bǎi fēn zhēn shi cóng lái méi yǒu guo de shì
百分。真是从来没有过的事！

duō kuī le nǐ de zhòu yǔ   ā tǔ gǎn jī xiǎo
"多亏了你的咒语！"阿土感激小

yāo jing
妖精。

zhè cuò bù liǎo bù guò wǒ yào zǒu le yǒu gè
"这错不了。不过我要走了，有个

hái zi dì lǐ bù xíng wǒ xiǎng qù bāng bāng tā xiǎo yāo
孩子地理不行，我想去帮帮他。"小妖

精说。

"没有你我可怎么办?"阿土叫起来。

"你完全可以没有我,你其实靠的是自己,我给你念的是……"小妖精跳到阿土的肩上,跟他咬了一会儿耳朵。

"原来是这样!"阿土欢天喜地,"这么说,我也可以学好算术了!那个孩子你也教他念这个咒语吗?"

"当然不是,我要念的是:'亚洲:中国、日本、印度……欧洲:英国、意大利、瑞典……'你看,就是我们小妖精也得会各种不同咒语。还不能念错,'芝麻芝麻开开门'就得是芝麻,念成'绿豆绿豆开开门'就不灵啦。"

79

以后阿土再没麻烦过小妖精，可他算术越来越好了。于是我继续纳闷：如果他是跑到童话世界里，他在现实世界里的算术又怎么会学好了呢？

小妖精闯祸

我是一个小妖精。我是一个真的小妖精。

我这个小妖精和你们知道的所有小妖精一样，能够做人所做不到的事情。你们能把猫变成狗吗？不能。你们会七十二变吗？不能。你们能飞吗（我是说不坐飞机什么的）？不能。能遁地吗？不能。可是我能！对我来说，这些都只是小意思，算不了什么。

81

注音版
没头脑和不高兴

不过仔细想下来，也有些事人做到了我却没有做到。那倒不是我做不了，而是我压根儿没想到过可以那么做。因此我不得不承认，人还是有点道理的。就拿我们妖精的老祖宗来说吧。你们一定读过《一千零一夜》里的《神灯》。里面那位妖精不是给阿拉丁变出一座漂亮的宫殿来吗？我现在就纳闷，他为什么只变出那么座虽然豪华但老式得要命的宫殿。要是换了我，我就变出一座两三百层的摩天大楼，现代化，有电梯什么的。不过我想到这么一座两三百层的摩天大楼，那已经是在人造出了这样的摩天大楼以后了，也就算不得是我的发明。老实说，我还可以造出五百层的、一千层的，但也只是层数的增加，到底是先有了人造出来的摩天大楼。难道是人进步了，我们妖精才跟着进步的吗？

不过我到底是个无所不能的小妖精，我一定要做出点人想要做但没法做到的事！

注音版
没头脑和不高兴

83

你们喜欢问某某人是好人啊，还是坏人啊，我想你们准也要问，我是好小妖精啊，还是坏小妖精啊。我可以明明白白告诉你们，我是一个再好也没有的好小妖精。如果还不相信，你们可以去问问我的好朋友阿土。他会告诉你们我是一个助人为乐的小妖精，正是我教了他一个咒语，帮助他渡过了算术的难关，打那以后他有了信心，现在算术呱呱叫了。

其实我教他的咒语只是乘法表。我不是说了嘛，人还是有点道理的。我也不知道是人的哪一代老祖宗发明了乘法表。我本来是要教他一个咒语的，后来一想，这不行，算术上他要碰到的问题太多了，我不能老守在他身边教他一个一个的咒语。于是我想起了乘法表，我认为它灵得像咒语，就让他把乘法表背得滚瓜烂熟。

我真没想错，他背熟了乘法表，不但乘法做起来毫无困难，后来学除法也一学就会。我对他说，72除以8就是9，72除以9就是8，八九七十二嘛。我再问他，56除以8是多少，他一下子就说是7，还说56除以7是8，八七五十六嘛。你说这个咒语灵不灵？人真是也有咒语的，不过他们把它叫做口诀，反正是一码事。

现在你们知道了吧，我是一个好小妖精，而且聪明，胜过我那些妖精

85

中国幽默儿童文学创作
任溶溶系列

老祖宗。《神灯》里我那位妖精老祖宗
一定不懂乘法表，也未必会利用人的
咒语。

　　我和阿土就是这么成为好朋友
的。不过他也很聪明，后来一定明白

了我教他的咒语不是我发明的，只是一个口诀，不过他没说出来。不管怎么说，他算术学好了还是十分感谢我。以后我常上他家去。因为我是小妖精，来无踪，去无迹，他的同学谁都没见过我。而且我善变，一下子就能变小，跳进他的衣袋里躲起来。所以阿土即使给你们谈起我，你们也只会认为他童话看多了，满脑子幻想，不相信。

可我确实存在。有同学来看阿土，我还待在他的衣袋里听他们聊天。听着听着，我觉得他们说出的一些话是人做不到的，那不成了说空话吗？我很想让他们的话实现，说到做到，他们一定会高兴。反正人想得出来的事

87

情，我们小妖精是没有办不到的，轻而
易举，有机会不妨试试看。我就是这个
主意。

话说有一天，我待在阿土的上衣
口袋里跟他到外面散步。

我们走过一棵大树，有两个小姑
娘正在树底下聊天。一个小姑娘手
里拿着一本小说，另一个小姑娘问她
小说好看吗。只听见那个小姑娘瞪圆
了眼睛回答说："真好看，只是挺吓人
的，看得我头发都竖起来了！"

我把头从口袋里伸出来一看，哪
儿啊，她的两根辫子好好儿地垂在脑
后，连翘也没翘起来。

这时另一个小姑娘又问："真有

nà me cì jī
那么刺激？"

hái néng piàn nǐ　　wǒ zhēn shi yī gēn yī gēn tóu fa
"还能骗你，我真是一根一根头发
dōu shù qǐ lái le
都竖起来了！"

hǎo　　wǒ de jī huì lái le　　wǒ jiù bāng bāng nǐ
好，我的机会来了。我就帮帮你
ba　　wǒ ràng nǐ shuō dào zuò dào　　wǒ nà me yòng shǒu yī
吧，我让你说到做到！我那么用手一
zhǐ
指……

wā　　zhè xiǎo gū niang de liǎng gēn xiǎo biàn zi　　hái
哇，这小姑娘的两根小辫子，还
yǒu méi shū zài xiǎo biàn zi li de měi yī gēn tóu fa　　yī
有没梳在小辫子里的每一根头发，一
diǎn bù jiǎ　　quán dōu hū de yī xià shù qǐ lái le
点不假，全都呼的一下竖起来了！

āi yā　　nǐ de tóu fa zěn me la　　zhēn de quán
"哎呀！你的头发怎么啦，真的全
shù qǐ lái le　　　zhè huí xià huài le de dào bù shì kàn le
竖起来了。"这回吓坏了的倒不是看了
xiǎo shuō de xiǎo gū niang　　què shì kàn jiàn tā tóu fa shù
小说的小姑娘，却是看见她头发竖
qǐ lái de xiǎo gū niang
起来的小姑娘。

tóu fa shù qǐ lái de xiǎo gū niang hái bù xiāng xìn
头发竖起来的小姑娘还不相信，
yòng shǒu qù mō tóu fa　　tā yě　　wā wā　　jiào qǐ lái le
用手去摸头发。她也"哇哇"叫起来了。

90

她要把竖起来的小辫子往下拉，这两根小辫子却像印度杂技里听了笛声会不断往上挺直身子的响尾蛇，拉下去了又竖起来。

我的好朋友阿土听到旁边闹嚷嚷的，转脸一看，呆住了。他一下子明白这是我的法术，赶紧拍拍口袋，悄悄对我说："快让她的头发复原，要不然闯祸了！"

我不服气："话是她自己说的，我不过让她说到做到……"

"得了得了，我以后再给你解释，你先让她的辫子落下来！"

既然老朋友这么说，好吧，两根直挺挺竖起来的辫子一下子像泄了

91

注音版
没头脑和不高兴

气，落下来了。

阿土看也不敢再看那两个小姑娘，赶紧溜走。其实那两个姑娘根本没注意他，管自己在那里唧唧喳喳谈个没完。

接着我们来到一个运动场，一些男孩在那里打篮球。正好有一个瘦高个男孩站在那里，气呼呼地骂他面前的一个小胖子。

"你这人真是光长肉不长脑子，这么好的一个球竟然让人家抢去了！你啊，真气得我……"他拼命跺脚，"气得我都要跳起来了……"他蹦跳，"气得我一跳八丈高……"他说。

"多高？"我在阿土的口袋里不禁

问道。

"八丈高！"

说时迟那时快，只见那瘦高个像跳蹦床的演员那样晃晃悠悠飞到空中去了。

"一丈，两丈，三丈，四丈，五丈，六丈，七丈，八丈，停！"

阿土脸都发青了，对我说："别让他落下来摔伤了，让他轻轻地落地！"

我在他的口袋里刚说了一声"得令"，阿土已经撒腿飞奔，直朝家里跑。再不回家，他生怕还要出什么事情。

一回到自己的小房间，阿土就冲我发火："你真会闯祸！他们这些话只是一种形容，形容他们有多恐怖，有

93

注音版
没头脑和不高兴

多生气，并不是真的头发直竖，真的一跳八丈高。万一他们说'我吓死了'，'我气炸肺了'，你就让他们当真一命呜呼吗？"

阿土发了一通脾气，口气又渐渐温和下来："我知道你是好心好意，是想帮助人说到做到，可是你首先得明白人说的话，明白他们的意思，不能瞎帮忙，越帮越忙……这是形容，这是这是这是修辞，你懂了吗？"

一个无所不能的小妖精，竟然这样眼巴巴地听一个小家伙教训，我真够窝囊的！可是有什么办法呢？我确实没听说过什么"形容"、"修辞"，我的妖精祖宗直到我的妖精爷爷奶奶、爸爸妈妈都没教过我。我可算是懂得这个道理的妖精第一代，再过几百年几千年，我就是懂得这个道理的妖精老祖宗了！

我正在心里嘀咕，又有点得意的时候，忽然听到隔壁客厅里阿土的爷爷的笑声和叫声。

"我笑掉牙了！……我的牙真掉下来了！"

阿土这回是急疯了，对我说了一声"又是你干的好事"，就跑到隔壁房间去。

我心里想，我琢磨你的话还来不及呢，这关我什么事！转眼阿土已经回来，开口就向我道歉：

没头脑和不高兴

95

中国幽默儿童文学创作
任溶溶系列

"对不起，是爷爷看电视，看得哈哈大笑，牙掉下来了。不是你的法术让他的牙掉下来，是他那副假牙太松，他嘴张得太大，自己掉下来了。我看了他那副样子，也真要笑掉牙了，哈哈哈哈，我要笑死了……哈哈哈哈，哈哈哈哈！"

阿土笑得捧着肚子停也停不下来，不过这一回我已经明白他的话是什么意思，他的牙——真的牙——也没有掉，人也没有死。

当心你自己身上的小妖精

多多本来是个很乖的孩子，妈妈喜欢他，爸爸也喜欢他。

为什么说他乖呢？因为他讲道理，不瞎吵瞎闹。一说到他，妈妈就得意："我们的多多生下来就不吵不闹，好些日子隔壁人家还不知道我们家有了个小娃娃！"

每天早晨多多乖乖地起床，穿衣服，洗脸，刷牙，吃点心，欢天喜地

de shàng yòu ér yuán měi tiān wǎn shang duō duō guāi guāi de
地上幼儿园;每天晚上多多乖乖地

chī wǎn fàn tīng mā ma huò zhě bà ba jiǎng gù shi rán hòu
吃晚饭,听妈妈或者爸爸讲故事,然后

xǐ jiǎo shàng chuáng yī xià zi jiù shuì zháo le yīn cǐ
洗脚,上床,一下子就睡着了。因此

mā ma shuō tā guāi xǐ huan tā
妈妈说他乖,喜欢他。

jiē sòng duō duō shàng yòu ér yuán shì bà ba de shì
接送多多上幼儿园是爸爸的事,

tā men shǒu lā zhe shǒu shàng yòu ér yuán huò zhě cóng yòu ér
他们手拉着手上幼儿园或者从幼儿

yuán huí jiā yǒu shuō yǒu xiào jīng guò wán jù diàn duō duō
园回家,有说有笑,经过玩具店,多多

zǒng yào tíng xià lái kàn kàn bù guò tā yī miàn kàn yī miàn
总要停下来看看。不过他一面看一面

shuō wǒ bù mǎi jiù shì kàn kàn yīn cǐ bà bà yě
说:"我不买,就是看看。"因此爸爸也

shuō tā guāi xǐ huan tā
说他乖,喜欢他。

kě shì zhè yàng guāi de duō
可是这样乖的多

注音版
没头脑和不高兴

99

多，却忽然不乖了。也不能说他完全

不乖，还是乖的时候多，只是有时候不

乖。大家常常忘记了孩子乖的时候，

只记住孩子不乖的时候，多多的妈妈

和爸爸自然也不例外。简单一句话，他

们说他现在不乖了。

不乖就是不讲理。早晨都快要上

幼儿园了，妈妈赶紧端来牛奶和面

包，叫多多吃。好端端的多多忽然张大

嘴巴叫："我要吃油条！"

妈妈说明天再吃油条好不好，多

多不但不答应，而且哇哇大哭，把牛奶

给弄洒了。妈妈束手无策，爸爸已经在

等着送多多去幼儿园，送完幼儿园他

还要上班呢。妈妈只好叫爸爸在路上

买根油条给他吃。她说多多太不乖了。

爸爸和多多不再有说有笑，在路上买了根油条让他去啃。为了让他在到幼儿园之前啃完那么长一根油条，只好走得慢些。爸爸苦着脸，大概在想上班可别迟到了。唉，多多啃完油条，还要给他擦嘴擦手。爸爸也说多多太不乖了。

多多不乖，妈妈和爸爸都说不再喜欢他。

上面说过，多多也有乖的时候，到了这时候，他就觉得很难过。他要妈妈和爸爸喜欢他，他以后一定要乖。而且那样张大嘴哭叫，像只怪兽似的，多么丑啊！可是不知怎么搞的，他自己

101

yě zuò bù liǎo zhǔ　　yī xià zi jiù bù guāi qǐ lái le
也做不了主，一下子就不乖起来了。

bǐ fang tā　hé　bà ba cóng yòu ér yuán huí jiā　jīng
比方他和爸爸从幼儿园回家，经

guò wán jù diàn　zì　jǐ　yě méi xiǎng dào　zhāng dà le zuǐ
过玩具店，自己也没想到，张大了嘴

jiù kū zhe yào mǎi xiǎo qì chē　qí shí jiā li xiǎo qì chē yǐ
就哭着要买小汽车，其实家里小汽车已

经够多的了。爸爸在店里真是丢了脸，睬也不睬他，把他拖了就走。多多一路哭回家。他这样不乖，妈妈和爸爸自然没法子喜欢他。多多自己也没有办法。

星期日爷爷上多多家来，进门就问多多好吗。妈妈和爸爸的第一句话就是："多多太不乖了！"

多多多么伤心啊，因为他最佩服爷爷，爷爷什么都懂。

爷爷觉得很奇怪："这怎么会呢？多多一直不是很乖吗？"

妈妈一口气说了所有多多不乖的事，比上面说的还要多，因为上面只是举几个例子。她最后说："自从他生过病以后就不乖了。"

没头脑和不高兴

103

bù cuò shàng xīng qī duō duō shēng guo jǐ tiān bìng
不错，上星期多多生过几天病。

mā ma hé bà ba qù mǎi cài jiā li zhǐ shèng xià
妈妈和爸爸去买菜，家里只剩下

le duō duō hé yé ye
了多多和爷爷。

zhè zhèng shì duō duō guāi de shí hou yú shì tā bǎ
这正是多多乖的时候，于是他把

tā de kǔ nǎo quán gào su le yé ye tā shuō tā shì yào
他的苦恼全告诉了爷爷。他说他是要

guāi de kě shì lián tā zì jǐ yě mò míng qí miào yī
乖的，可是连他自己也莫名其妙，一

xià zi jiù bù guāi le
下子就不乖了。

他说："早晨妈妈给我牛奶面包，我满可以吃下去，不知怎的我想起了油条，还没怎么想，就大叫要吃油条了，而且叫得没法子罢休。和爸爸经过玩具店也一样，我明知家里的小汽车已经很多，嘴却张大了吵着要买。"

爷爷很认真地听着，一面听一面动脑筋。等到多多把话说完，爷爷脑筋动出来了。

"我明白啦，是趁你生病那会儿，一个专门捣乱的小妖精钻到你的身体里了。是它让你吃药也哭，打针也哭，动不动就哭。医生把你的病医好了，可是药不能把这小妖精赶走，它留了下来。"

105

"爷爷你说什么,一个小妖精?"

"对,这小妖精就叫脾气精。它会钻进孩子的身体,随时捣乱。当然,它也钻进大人的身体,但通常钻进孩子的身体,甚至一直住在里面,跟着孩子长大。"

"那怎么办呢?有时候我脾气发得都不想发了,看着妈妈和爸爸急得真可怜,可我就是没有办法,只好发下去。"

"脾气精,就是那么回事。"爷爷说。

"把它赶走要吃药打针吗?"多多一想起吃药打针就害怕,吃药还马马虎虎,甜的,打针虽然一下子就完事,

106

kàn jiàn zhēn què yǐ jīng xià huài le
看见针却已经吓坏了。

bù yòng chī yào dǎ zhēn kě yǐ gǎn diào yé
"不用吃药打针，可以赶掉。"爷

ye shuō
爷说。

nǐ bāng wǒ bǎ tā gǎn diào xíng ma duō duō qiú
"你帮我把它赶掉行吗？"多多求

cōng míng de yé ye
聪明的爷爷。

wǒ kě yǐ bāng bāng nǐ dàn shì zhǔ yào kào nǐ
"我可以帮帮你，但是主要靠你

zì jǐ gēn tā dòu yé ye shuō wǒ lái gào su nǐ gǎn
自己跟它斗。"爷爷说，"我来告诉你赶

diào tā de bàn fǎ shǒu xiān nǐ yào dī fang zhe tā dī fang
掉它的办法。首先你要提防着它，提防

tā yě bù nán tā xiǎng dǎo luàn bì xū tōng guò nǐ ràng nǐ
它也不难，它想捣乱必须通过你，让你

fā pí qi nǐ yī jué de xiǎng fā pí qi jiù shì tā
发脾气。你一觉得想发脾气，就是它

zài zuò guài le nǐ yī dìng bù néng ràng tā chéng gōng nǐ
在作怪了，你一定不能让它成功。你

zài xīn li duì tā shuō wǒ cái bù tīng nǐ zhè yī tào
在心里对它说：'我才不听你这一套

ne nǐ jiān jué bù fā pí qi tā jiù méi yǒu bàn fǎ
呢！'你坚决不发脾气，它就没有办法。

zhè bǐ chī yào dǎ zhēn hái líng mǎ shàng jiàn xiào
这比吃药打针还灵，马上见效。"

wǒ lái shì shì kàn duō duō shuō tā zuì pèi fú
"我来试试看。"多多说。他最佩服

注音版
没头脑和不高兴

107

他的爷爷了，他什么都懂，连对付脾气精也懂。

"好的，从现在起我们就来打败你身体里的那个脾气精。"

这时候妈妈和爸爸回来了，看见爷爷和多多有说有笑，也很高兴，管自己烧菜做饭去了。爷爷跟多多一起看图画故事书，讲给他听。多多真是很乖，上面不是说了嘛，他乖的时候到底比不乖的时候多，就担心他一下子会不乖起来。

吃饭了，妈妈和爸爸把好菜夹给爷爷，多多也把好菜夹给爷爷，爷爷却总把夹给他的好菜夹给多多。

妈妈夹了些青菜给多多，说："多

多应该吃点青菜……"

多多一下子张大了嘴："我……"

他张大嘴不是为了要吃青菜，而是要

大叫："我就是不要吃青菜。"

爷爷在他耳边轻轻说了一声：

"脾气精！"

本来高高兴兴的妈妈已经沉下了

没头脑和不高兴

109

中国幽默儿童文学创作
任溶溶系列

脸："又来了，又不乖了。"

多多狡猾地先看看爷爷，然后说：

"不是我不乖，是脾气精作怪。"

"什么精？"妈妈和爸爸都傻了。

"哈哈哈哈！"多多觉得挺好玩，一

口把青菜吃了下去。

吃完饭，爷爷说下午要带多多出

去走走，多多很高兴。

妈妈说："多多，那么快点睡午觉，

醒来和爷爷出去玩。"

多多一下子又张大嘴巴："不睬

你，我不……"

爷爷又在他耳边轻轻说了一声：

"脾气精！"

多多猛地把张大的嘴变成张

kāi yī tiáo fèng de zuǐ duì duì wǒ zhè jiù shuì
开一条缝的嘴:"对对,我这就睡。"

duō duō shuì jiào jiù shì guāi tǎng xià lái zhǎ liǎng zhǎ
多多睡觉就是乖,躺下来眨两眨

yǎn jing jiù shuì zháo děng dào xǐng lái yé ye yǐ jīng zài
眼睛就睡着。等到醒来,爷爷已经在

děng zhe dài tā chū qù
等着带他出去。

gēn yé ye chū qù zuì hǎo le gēn mā ma chū qù
跟爷爷出去最好了。跟妈妈出去

lǎo shì dào bù diàn fú zhuāng diàn gēn bà ba chū qù lǎo shì
老是到布店服装店,跟爸爸出去老是

dào shū diàn zhēn méi jìn yé ye huì dài duō duō dào tā zuì
到书店,真没劲。爷爷会带多多到他最

yào qù de dì fang shàng wài tān kàn huáng pǔ jiāng shàng
要去的地方:上外滩看黄浦江,上

dòng wù yuán kàn dòng wù hái qù chī diǎn xin yé ye dài
动物园看动物,还去吃点心。爷爷带

duō duō qù guo bù shǎo chī de dì fang hòu lái bà ba duì
多多去过不少吃的地方,后来爸爸对

yé ye shuō shǎo dài tā qù chī miǎn de tā chī de zuǐ tài
爷爷说,少带他去吃,免得他吃得嘴太

chán hòu lái yé ye jiù zhǐ dài tā qù chī diǎn dàn gāo shén
馋。后来爷爷就只带他去吃点蛋糕什

me de yīn wèi yé ye lǎo le zǒu lèi le yě yào zuò xià
么的,因为爷爷老了,走累了也要坐下

lái hē bēi kā fēi huò zhě chá
来喝杯咖啡或者茶。

dào le shāng diàn li yé ye huì dài tā qù guàng
到了商店里,爷爷会带他去逛

111

注音版
没头脑和不高兴

wán jù bù

玩具部，这是妈妈和爸爸如今最怕带多

duō qù de dì fang   yé ye duì duō duō shuō guo   kàn kàn wán

多去的地方。爷爷对多多说过，看看玩

jù yě hěn hǎo wán   tā huó dào zhè me lǎo le dōu hái ài

具也很好玩，他活到这么老了都还爱

kàn   hái zi jiù gèng ài kàn   zhè shì yī zhǒng kuài lè   bù

看，孩子就更爱看，这是一种快乐，不

guò bù yào chǎo zhe mǎi   bù rán jiù bù dài nǐ lái kàn

过不要吵着买，不然就不带你来看

le   yīn cǐ duō duō xué huì le shuō   wǒ zhǐ kàn kàn

了。因此多多学会了说："我只看看，

bù mǎi

不买。"

dàn shì duō duō jīn tiān dào le wán jù bù   què yǒu

但是多多今天到了玩具部，却有

liǎng cì zhāng dà zuǐ ba yào   yé ye zài tā ěr biān

两次张大嘴巴要……爷爷在他耳边

shuō   pí qi jīng   duō duō diǎn diǎn tóu   bì shàng le

说："脾气精！"多多点点头，闭上了

zuǐ   tā jiù zhēn shi kàn

嘴。他就真是看。

kàn dào yī liàng àn yī xià huì wū wū jiào de xiǎo qì

看到一辆按一下会呜呜叫的小汽

chē   tā kàn le bàn tiān   zuǐ zhāng dà le hěn kuài yòu zì

车，他看了半天，嘴张大了很快又自

dòng bì shàng le   yé ye hòu lái shuō   zhè liàng xiǎo qì

动闭上了。爷爷后来说："这辆小汽

chē hěn bù cuò   nǐ xǐ huan ma   duō duō shuō   tài xǐ

车很不错，你喜欢吗？"多多说："太喜

$500

欢了！"爷爷说:"好,我今天送你这辆小汽车。"多多没有张大嘴巴哇哇吵着买,爷爷却给他买了。

在回家的路上,爷爷对多多说:"你看怎么样,我们对付脾气精的办法不是很灵吗?这样它就没有办法作恶了。你千万记住,你一张大嘴巴要发脾气,就是脾气精要来捣乱了。你不要听它那一套,就行了。你想想,今天脾气精要来作怪,如果不把它打败,你看后果会怎么样?"

多多扳起手指数了那几件事,点着头说:"一点不错,太险了,从吃饭时候起恐怕要哭到现在呢。妈妈和爸爸就更不喜欢我了。也许爷爷你也会

114

duì wǒ gǎn dào tóu téng
对我感到头疼。"

bù guò nǐ men kě bié yǐ wéi pí qi jīng jiù zhè yàng
不过你们可别以为脾气精就这样
méi běn lǐng tā jiē xià lái hái shi shǐ duō duō fā le jǐ
没本领，它接下来还是使多多发了几
cháng pí qi dàn shì duō duō yuè lái yuè kuài de bǎ tā dǎ
场脾气。但是多多越来越快地把它打
bài lián mā ma hé bà ba dōu hái méi lái de jǐ shuō tā
败，连妈妈和爸爸都还没来得及说他
bù guāi tā yǐ jīng guāi le zuì hòu pí qi jīng dà gài shì
不乖，他已经乖了。最后脾气精大概是
zì jǐ dà fā pí qi lí kāi duō duō bù cǎi tā le
自己大发脾气，离开多多，不睬他了。

děng dào yé ye xià yī gè xīng qī rì lái duō duō
等到爷爷下一个星期日来多多
jiā tā hái méi wèn duō duō pí qi jīng gǎn zǒu le méi yǒu
家，他还没问多多脾气精赶走了没有，
mā ma hé bà ba yǐ jīng duì tā shuō duō duō hěn guāi
妈妈和爸爸已经对他说："多多很乖，
zhēn jiào rén xǐ huan
真叫人喜欢！"

注音版
没头脑和不高兴

听青蛙爷爷讲故事

大家都只知道青蛙会呱呱地叫，
其实他们呱呱地叫是在说话。

我这就把青蛙们说些什么讲给
大家听听。

一天晚上，我来到池塘边，静静
地坐下来。我忽然听到一只青蛙开口
说话了。

"呱呱呱呱，呱呱，呱呱……"你们
听到的当然只是一连串的"呱呱呱

呱",可是我一听就知道,那声音有点苍老,是一位青蛙老爷爷在说话。

他说:"小青蛙们,现在我来给你们讲一个故事。"

"呱呱呱呱,呱呱呱,呱呱呱呱呱呱。"这话就是:"我们这里有一只聪明的小青蛙。"

哎呀,青蛙老爷爷的话刚出口,池塘里许多青蛙一起叫了起来:

"呱呱呱呱!呱呱呱呱!呱呱呱呱呱!"

在这一大片轰轰响的"呱呱"声中,我再也听不到青蛙老爷爷的声音了,听到的只是些零零碎碎的话:"呱呱呱,呱呱,呱呱……"

117

这些声音很清脆，一听就是些小青蛙的声音。

我听到的这些零零碎碎的话是："爷爷说的就是我！""不对，他说的是我！""真不害臊，你那么笨，还说自己聪明！"

声音乱七八糟的响了半天，吵死了。我捡了块小石子扔到水里。扑通！轰隆隆的呱呱声，也就是说话声，一下子静下来了。

我又听到了青蛙老爷爷的声音。

"呱呱呱，呱呱，呱呱，呱呱。"青蛙老爷爷说，也就是："这孩子就是这么聪明。"

怎么聪明呢？不知道。青蛙老爷

118

爷都说了，就是给那些小青蛙吵得听不见了。

青蛙老爷爷说下去："呱呱，呱呱，呱呱……"他说的是："不过我们当中也有一只傻头傻脑的小青蛙。"

一下子整个池塘又轰隆隆地响了起来。

"呱呱
呱呱！呱呱
呱呱！呱呱
呱呱呱！"
在这一
大片轰轰声
中，我又只
能听到零零

119

碎碎的小青蛙叫声："呱呱呱，呱呱，呱呱……""呱呱。""呱呱呱呱。""呱呱，呱呱，呱呱。"我听到的这些零零碎碎的话就是："爷爷这回说的是你！""是你，你正是傻头傻脑的！""你再说我就打你！"

这轰轰声越来越响，像几十面几百面大鼓在敲，震得我耳朵都要聋了。

我又在地上捡起一块小石子，扑通一声扔到水里。

于是我在寂静中重新听到了青蛙爷爷低低的声音。

"呱呱，呱呱呱，呱呱……"也就是："好了，孩子们，我的故事讲完了。"

青蛙爷爷讲了个什么故事，我一点也没听出来。唉，这都怪谁呢？也只好这样了。呱呱！我是说：再见！

注音版
没头脑和不高兴

我与儿童文学的渊源

我最早翻译的是一篇儿童小说

我从事儿童文学六十几年了。我开始从事翻译工作是1942年,算到今年刚好快七十年。

我从事儿童文学是从1945年开始,我翻译了土耳其的一篇短篇儿童小说,但是正式开始是1947年,我一个同学到儿童书局编儿童杂志，他知道我也翻译，就来找我替他翻译一些东西。而且每期都有一篇，所以我从这时候开始就是真正搞儿童文学。一搞儿童文学，兴趣特别大。最早启发我搞儿童文学的，我恐怕要感谢迪斯尼，因为迪斯尼那些书的插图特别漂亮，我又喜欢图画，所以我就这么搞下去了。

我天生就是适合搞儿童文学

我从事儿童文学工作是有点偶然的，刚开始搞儿童文学，事实上对儿童文学没有什么研究，就是喜欢那些作品。现在想想，我好像天生就是适合搞儿

童文学，因为我的个性就是适合。

我现在想起来，我小时候的脾气就是一个大快活的人。我的个性到现在还是这样，大大咧咧，糊里糊涂，即使碰到很大的事情，我就是这么糊里糊涂地过来。

另外，我现在想起来小时候有两个"迷"，一个是电影迷，一个是书迷。我从小就看电影，特别爱看滑稽电影。像卓别林或劳莱哈台，过去还有罗克和裴斯开登，他们我都非常喜欢，我爱看好笑的东西。当然悲剧我也看了很多，但是我那时很小，也不懂，反正就是电影迷。

还有就是书迷。我也是幸运的，我初时是念私塾，私塾念的是"四书五经"。

《三字经》我读过，《千字文》我也读过。
《论语》、《孟子》我也读过，我是念到《孟子》的"离娄篇"开始进一年级的。我进一年级就能用文言文作文，汉字对我来说没有什么困难，所以我从小就看书。

这么看来，电影给了我很多东西，书也给了我很多东西，就好像在我真正从事儿童文学工作之前就已经在培养我热爱儿童文学，就给我打基础。

我小时候最爱看的图书

我小时候最爱的书，现在想起来就是《济公传》。我对《济公传》特别喜欢，因为这个人本领大，滑稽，专门捉弄坏

人，我还喜欢看《七侠五义》、《小五义》等等武侠小说。

至于外国儿童文学作品，我小学时也读，我最爱的书就是《木偶奇遇记》。老实讲，《爱丽斯梦游奇境》有许多地方我还看不出什么名堂，主要是生活习惯的关系，它在英国为什么那样出名，我也搞不太清楚。但是《木偶奇遇记》，全世界的孩子一看就懂，所以我小时候很爱这本书，当然还有别的书。

我翻译了三百多种书

等到我从事儿童文学工作，我先是翻译，到现在为止，我翻译了多少书，我自己都不知道，至少有三百多种。光外国儿童文学名著，从我手中翻译的就不知有多少。早期的像《木偶奇遇记》，我从意大利文直接翻译，甚至《安徒生童话全集》我都翻译过，近期的像《彼得·潘》。我还翻译了很多林格伦的作品、罗大里的作品和达尔的作品。

我曾经有十多年是翻译俄文的，我觉得俄罗斯和前苏联都有很多优秀的儿童文学作品，我也翻译了很多。翻译对我来说就是一种学习修养。

没头脑和不高兴

给小朋友们讲故事
讲出了《没头脑和不高兴》

我刚开始本来想从事创作的，但是一开头就不太顺利。我爱搞滑稽的，老师不太欣赏，以为我在歪曲儿童形象，报上批评，一批评我就不写了。那时候朋友说我可以和他们辩论，但是那时不让辩论，批评就得接受，所以我干脆不写了。本来我很早就可以开始创作的，但是我没有创作，我干脆规规矩矩地搞翻译。搞翻译也不错，我翻译了许多书，也成了儿童文学的译文编辑。

作为出版社编辑，当时经常要去

128

少年宫给小朋友们讲故事。本来讲的都是翻译故事，没想到讲得多了，竟然自己头脑里也跑出了一些故事，"没头脑和不高兴"就是这样诞生的。

"没头脑"记什么都打折扣，糊里糊涂地造了三百层的少年宫，却把电梯给忘了；"不高兴"任着自己的性子来，上台演《武松打虎》里的老虎，他不高兴了，武松怎么也"打不死"老虎。这两个形象生动的角色和里面幽默的笑话让几代读者笑破了肚皮。

角色都从生活中来，我就是那个"没头脑"，常常糊里糊涂的。不过，在少年宫和小朋友在一起的时候，这个故事竟然突然自己就跑出来了。小朋友们

129

特别喜欢,后来出版社也听说了,他们就让我写下来,我在咖啡馆里半个钟头不到就写出来了。

除了《没头脑和不高兴》之外,我还写出了童话《一个天才的杂技演员》、《小波勃和变戏法的摩莱博士》、《小时候为什么没胡子》、儿童诗《我抱着什么人》、《我给小鸡起名字》等作品。

我爱翻译儿童诗

我翻译这么久,觉得最有成就的是翻译儿童诗。这样大量翻译儿童诗的译者,我觉得我可以说是少有的。重要的儿童诗作者的作品我翻译了好些,像俄罗斯的普希金的童话诗，一本很有名的《小驼马》；像前苏联的马雅可夫斯基、马尔夏克、巴尔托、米哈尔科夫等人的儿童诗。假如您接触过，您就会知道他们多了不起。还有英国了不起的诗人A.A.米尔恩的儿童诗，也是一流的。

我翻译了那么多儿童诗，我慢慢觉得我也有很多东西写出来不比他们差。而且在翻译当中，我觉得他们那种写法假使照我的写法改一改，恐怕就更好，更能够吸引小读者。我这话也可能不无道理。因为我翻译的马尔夏克在前苏联也是有名的翻译家，他翻译过罗大里的作品。我最早翻译罗大里的诗是从马尔夏克的翻译作品转译的，后来我

注音版
没头脑和不高兴

就从意大利文直接翻译了。

翻译是一种再创作

我发现马尔夏克翻译罗大里的诗，比罗大里自己写的诗更好。这对我很有启发。外国人对翻译诗，不仅是儿童诗，好像是很尊敬译者的。因为翻译一首诗有很大的创作空间，跟散文不同。翻译儿童诗有很多问题，要押韵，有韵律，需要用本国的语言来翻译外国的作品，所以马尔夏克翻译的作品简直成了他自己的作品。罗大里的儿童诗将来假使出译本，我一定两者都摆出来比较。

我可以举出很多例子，说明为什么

马尔夏克的诗比较好，当然原来的诗是从罗大里那里来的，但是马尔夏克把他适当变化了一下，变得很好。比如说罗大里那里有一首跟孩子讲劳动的诗，从煤矿工人在地下工作讲起，讲到农民在地面上工作，讲到高压电的电工到高处劳动，这首诗真是非常好。但是这么安排，在我印象中是马尔夏克改的。罗大里是说到处都有人劳动，马尔夏克翻译时就像排楼梯那样排上去，我觉得这是一种创造。当然是罗大里的诗好，给了马尔夏克灵感。

我学着写儿童诗

我确实佩服马尔夏克，我也有马尔夏克那种冲动，真想像他那样把原诗改一下，会更好。于是我就不满足于只翻译了，后来有一段时间没什么书好翻，欧美的不能翻，前苏联的也不能翻了，这段时间我想大家都知道，没什么书好翻，我就忽然想到创作，一发不可收拾，就写了许多儿童诗。

我创作的儿童诗，确实也有我的特点。我翻译过许多儿童诗，自然吸收了不少我以为是好的东西，但是更重要的一点，是我好像很懂得儿童那种好

134

奇、好动的脾气。我确实喜欢热闹的，像我刚刚说的《木偶奇遇记》和《西游记》都很热闹。您看我现在喜欢罗大里和达尔。罗大里就是写《洋葱头历险记》和《假话国历险记》的那个作家，我觉得他真了不起。中国儿童文学作家我特别爱的是张天翼。我认为他就是天生的儿童文学作家，讲故事的功力真到家。

我写儿童诗是在写小时候的自己

说到我写儿童诗，很多的创作都在写小时候的自己。我有一本小本子，专门把我想到的有趣的东西统统记下来。我的儿童诗不是凭空捏造的，里面

135

有一大部分是我童年有趣的事情，也有一些是我孩子有趣的事情。

我早期有一篇作品我现在还是认为满好的，就是《我的哥哥聪明透顶》，里面说有个孩子学拉胡琴，开始学的时候，叽嘎叽嘎，隔壁邻居也吃不消，他一个同学和他一起拉。他觉得还是聪明一点吧，不要让别人讨厌，就不拉了。他那同学是个傻瓜，还是拉，找一个偏僻的地方拉个不停。到后来，他那朋友只要一拉胡琴，大家就围着他听。"我的哥哥"这孩子没学好拉琴，只因为他太聪明。这首诗就是写我儿子的生活。我有一个儿子学拉小提琴，他没学成，我倒不知道是什么原因，这却引起我想起这么一个原因，就写出这么个作品。还有我喜欢的一首诗叫《强强穿衣裳》，说一个小孩早晨起来穿衣裳，穿一个袖子去做一件事情，再穿一个袖子又去做另外一件事情，等到穿到最后一只袜子的时候，妈妈说你赶快脱衣服上床睡觉吧。从"强强穿衣裳"这个名字就可以看出，它是从我的儿子小时候的事引发出来的，因为强强是我的儿子。但是也有很多是我自己小时候的生活。不久前有一篇，好像大家还比较认可。

《一个可大可小的人》是写我小时候的事情。有一次我的爸爸妈妈去普陀山玩，带我的哥哥去，不带我去。这件事我一直耿耿于怀，一直耿到后来自己去了

137

注音版
没头脑和不高兴

普陀山。我觉得不公平，为什么不带我去？不带我去的原因是"你太小了，不能去"。可为什么后来又说我大，留在家该懂事了呢？这件耿耿于怀的事情就让我想写这首诗，大人用得着你的时候说你大，用不着你的时候说你小。所以我根据这个就写了，爸爸妈妈旅游去了，说你太小了，不能带你去，你待在家里。等到他们出门又说，你现在很大了，你在家里帮奶奶做事。这种事现在哪儿都会发生，但是我小时候真是想不通。

我认为儿童诗应该有点哲理，耐人寻味，让人思考。《一个可大可小的人》恐怕不完全是在童趣吧，大人看了恐怕也可以想想该怎么对待孩子吧。《我的哥哥聪明透顶》也有一点经验教训，告诉你不要轻易放弃一件事情。写东西总是希望对人有点好处，这个我也讲不清。反正我觉得写东西不要教训，但是我赞成有教育意义。

我看欧美的儿童文学作品很注意教育意义，没有回避教育意义。我们中国曾经有一个时候只谈教育意义，不大注意儿童爱玩爱有趣等等，这不好，不过也不用害怕提教育意义。

我还是那句老话，我是以不变应万变，认为该怎么写就怎么写，我只希望我的作品小读者小时候读来好玩，等他们大了想想还是有点道理。

注音版
没头脑和不高兴

139

中国幽默儿童文学创作

任溶溶系列

当儿童文学作家最快活

我认为儿童文学作家最快活的是：当小孩子很小的时候爱读你的作品，但是小孩子都要长大的，你骗他能骗几年？他要长大的，等到他长大后还是觉得你的作品是有艺术价值的，思想是好的，能给他帮助的。

比如张天翼的作品，我爱他不单是因为怀旧，想起我小时候读他的作品的乐趣，今天从文学作品的价值来谈，我觉得他的作品还是好作品。我认为做儿童文学作家一定要做这样的儿童文学作家。

珍藏相册

ZHENCANGXIANGCE

1937.6.27

1.1935年，读小学四年级，一看
　就是个小广东
2.1937年，小学要毕业了
3.1980年12月在菲律宾碧瑶
4.20世纪80年代，编《外国文艺》
　杂志

5.1987年在小读者当中

6.2003年参加宋庆龄儿童文学奖颁
奖典礼

7.2005年，在广州购书中心参加安
徒生童话图书签售活动

8.2017年，在家中朗诵自己的童诗
《没有不好玩的时候》

图书在版编目（CIP）数据

没头脑和不高兴/任溶溶著. —杭州：浙江少年儿童出版社，2018.4（2019.3 重印）
（中国幽默儿童文学创作·任溶溶系列：注音版）
ISBN 978-7-5597-0652-2

Ⅰ.①没… Ⅱ.①任… Ⅲ.①儿童故事－作品集－中国－当代 Ⅳ.①I287.5

中国版本图书馆 CIP 数据核字（2018）第 061873 号

中国幽默儿童文学创作·任溶溶系列（注音版）

没头脑和不高兴

任溶溶/著

选题策划	孙建江
责任编辑	陈力强
美术编辑	鲍春菁
封面设计	小飞侠
插　图	蜂鸟工作室
责任校对	冯季庆
责任印制	孙诚

浙江少年儿童出版社出版发行
地址：杭州市天目山路 40 号
网址：www.ses.zjcb.com
杭州杭新印务有限公司印刷
全国各地新华书店经销
开本 880mm×1230mm　1/32
印张 4.75　插页 4　字数 60000
印数 4364471－4564470
2012 年 4 月第 1 版
2018 年 4 月第 2 版
2019 年 3 月第 65 次印刷
ISBN 978-7-5597-0652-2
定价：18.00 元
（如有印装质量问题，影响阅读，请与承印厂联系调换）
　承印厂联系电话：0571-87640154